RHAID I TI FYNED Y DAITH HONNO DY HUN

Dyddiadur y daith hefo fy nhad i'w farwolaeth

gan

ALED JONES WILLIAMS

FFILM MEWN GEIRIAU

ISBN 1-903314-15-1

Dymuna'r cyhoeddwyr gydnabod cymorth
Adrannau Cyngor Llyfrau Cymru.

Argraffwyd gan Wasg Pantycelyn, Caernarfon

"Nid yw ei *-ffydd* ef, cofia,
Y *-ffith* oedd *-ffith* ei nain"

'Y Wers Sbelio'
R. Williams Parry

"O wel! Os wyt ti'n mynnu gwirionedd!"
("Oh! Si vous travaillez dans la verité! Alors!")

Antonin Artaud

"Why, when it was all over, did I hold on to them?"

'The Old Icons'
Seamus Heaney

Er cof am y ddau:

ROBERT EDWARD WILLIAMS
1891 – 26 Mawrth 1917

ROBERT EDWARD WILLIAMS
25 Mawrth 1917 – 1997

Dydd Llun, 25 Awst 1997

Môr Udd. Hen fôr oer. A'i oerni o'n cripian hyd-dda chi. Drwyddach chi. Hyd yn oed heddiw. Pan fo'r haul yn sgleinio'n fedal ar diwnig yr awyr. Sy'n las. Lliw oer ydy glas. Dwi'n gorwedd ar y tywod. *Hic jacet*, medda fi wrtha fi'n hun. Yma ar la' môr Bamborough. A'r môr yn gorwedd ar fatras y tywod fel braich dyn. Yn fan'cw'n rhwla mae Jutland. A Jenyryl Kitchener your country needs you. Wedi boddi yn oerni Scapa Flow. Sincio. Scapa Flow yn bell i fyny fan draw. Boddi. A sincio. Dwi'n dwyn i 'ngho Yncl Bob 'nhad gafodd 'i ladd ar 26 Mawrth 1917. Ddwrnod ar ôl i 'nhad ga'l 'i eni. A 'nhad yn ca'l 'i enwi ar 'i ôl o. Consylêshon-preis i'w nain o, ma' raid. 'Dach chi 'di colli un Bob, a 'ma chi Bob arall yn 'i le fo. Ffeirio un am y llall. Iesu! 'na chi swap a hanner a Bob's your uncle – Dad. Mor agos at 'i gilydd ydy genedigaeth a marwolaeth. Y môr trwy gornel fy llygad i fel asgwrn yn piciad o'r pridd yn wynfudr. Mi rydw i ar drothwy'r Hen Ogledd. Catraeth a'r gwŷr a aeth yno. Gynt. Brwydra ym mhobman o 'nghwmpas i. A thu mewn i mi. Draw yn fan'cw mi wela i'r môr yn torri ar graig. Miliyna o ddefnynna o ddŵr, yn chwyrlïo i bobman. Pob gronyn unigol, ar wahân, ar 'i ben 'i hun. Yn grwn fach. Yn sgleinio fel wynab potas ac yna'n disgyn yn ôl i gyfanfyd y môr. Ymrannu a chyfannu. O hyd ac o hyd ac o hyd. Draw yng Nghymru mae 'nhad ar faes cad arall.

"Sut mae o, metron?"

"Cwla."

"Sa well i mi ddŵad adra?"

"Ma' hynny i fyny i chi. Ond sincio mae o."

"Sut ma' Dad, Mam?"

"Mae o'n o lew, sti. Dal yn 'i wely. Ond ma' metron yn deud 'wrach geith o godi fory. 'Dach chi'n enjoio'ch hunan? Lle ma' Northumberland, 'lly? O'n i'n trio deud wrth rywun bora 'ma. 'Dy o'n bell?"

Mae'r môr yn hisian yn 'y nghlyw i fel y seiniesid 'i gleddyf ym mhen mamau.

Dydd Mawrth, 26 Awst 1997

Cofio.

Y tro hwnnw 'raethon ni i Lundan, Nhad. I chi ga'l gweld arbenigwr. Sbesialist, medda pawb wrtha chi. A'r enw yn gneud sŵn fel eroplên ryfal o Fali yn rhigo'r aer. Sbesialist. Mi roeddach chi'n chwilio am rwbath. "Mendio, dyna be sy gin i isio." Roeddach chi mor siŵr 'ch bod chi'n mynd i'w ga'l o yn Llundan. "Well na Bangor, sti."

"Roth o 'im byd i mi," meddach chi ar ôl cyrraedd adra. A phan oedd Mam yn y gegin, "Gwranda," meddach chi. "Os digwyddith rhwbath i mi, cofia di mai yn yr heneglws dwi isio 'nghladdu."

A be am yr emyna? medda finna. A wincio arno fo.

"'Iesu difyrrwch' a 'Dal fi fy Nuw'," medda fo a'r difrifwch mwya yn 'i lgada fo.

"Gymrwch chi banad?" medda Mam yn dychwelyd o'r gegin.

"Mi ddo i hefo chi," medda finna.

"Na, stedda di," medda hi.

"Na, steddwch chi," medda fi.

"Na, na! 'Na i," medda hi.

"'Na i, Mam," medda fi.

“Ti ’di blino. ’Na i,” medda hi.

“Na, dwi’m ’di blino. ’Na i,” medda fi.

“Do. Stedda di,” medda hi.

Mae hi’n cymryd dau i ’neud panad weithia.

“Be o’dd gin dy dad i’ ddeud?” medda Mam yn y gegin.

“Dim,” medda finna’n deud dim.

“Dwi’n falch ’i fod o ’di ca’l bod yn y Llundan ’na,” medda hi.

“Lle da o’dd o,” medda finna.

Mam, medda fi wrtha fi’n hun, dwi’n meddwl fod yna rwbath mawr ar Dad. Dwi’n gwbod, medda’i llgada hi. A ’nhad yn ’i gadair o flaen y tân nwy. A’r nwy yn hisian. Yn edrych yn wag. Mor wag ag esgaleityr yn codi o Warren Street yn hwyr, hwyr y nos.

“Sut mae o heddiw, metron?”

“’Run fath.”

Dydd Mercher, 27 Awst 1997

Ar rîl y cof.

Diwedd Mai eleni.

“O’n i’n gwbod ma’ mewn lle fel hyn fyswn i,” medda fo. Newydd gyrraedd yn yr ambiwlans o Fangor. I’r Cartref (Naci! Nid cartref ond hôm, medda Mam. Hôm, ti’n dallt!) yng Nghricieth.

Hen dŷ Loi-Jorj ydy fan hyn, medda fi.

“Licis i ’rioed mo’r diawl,” medda fo.

Whenever he sees a belt he can’t resist hitting under it, dyna be ddudodd Leidi Ascwith amdano fo, medda fi.

Ond mi roedd fy nhad yn rhwla arall erbyn hyn. Fo a’r hen bobol erill yn y lle ’ma. Yn gneud i mi feddwl am gadwyn nionod. Yn ’y mhen dwi’n mynd drwy litani o enwa: Lloyd

George, Clemenceau, Haig, Joffre, y parchedig fastad John Williamsbrynsiencyn, Foch, Pasha, Chetwode, Dobell, Robin Ned. Yn hongian wrth 'i gilydd fel cadwyn nionod. Atgofion a heddiw, hanes a'r gwir plaen, cofio a methu cofio, bod a darfod yn hongian wrth 'i gilydd fel cadwyn nionod. Dwi'n cofio'n sydyn mai mis Mai ydy hi. Dwi'n sbio arno fo gan ddisgwyl iddo fo ddyfynnu fel y bydda fo bob Mai:

"Roedd Mai mewn sandalau o aur ar y fawnog
Cyn clywsom ni nodau y Gwcw'n y tir."

Ond ŵyr o ddim mai mis Mai ydy hi. Mwyach. Mis Mai, medda fi wrtho fo. Jyst rhag ofn. Ond mae 'i edrychiad o'n wyn fel y gwynder ar sgrin wedi i'r ffilm ddod i ben.

Fel hen lun yn ca'l 'i dynnu o walad ddoe a'i ddangos i mi,

mi wela i Yncl Bob 'nhad. Trwy'r sgratsys a'r melynu, medda'r dyn ifanc yn y llun:

"Robin Ned ydw i".

"Dwi 'di'ch gweld chi ar y pianola yn Bryn Twrog mewn ffrâm ddubitsh a cherddi coffa rowndach chi," medda fi'n wyth oed yn pedlo'r pianola fel diawl a land of hope an' glory'n chwara.

"Deud 'n hanas ni. Nei di?" medda fo.

"Ni?" medda finna. "Chi a phwy?"

"Sgwenna a mi gei di weld. Cofia ni," medda fo wrth fynd yn ôl i walad y blynyddoedd marw.

Dydd Iau, 28 Awst 1997

"Dementia. Multi Infarct Dementia. Strôcs bach amal," medda'r doctor ym Mangor a Mam yn dal 'i gafal yno' i. A phob strôc fach yn 'ch datod chi fwy fwy. Yn dadbwytho pwy ydach chi a phwy fuoch chi. Yn 'ch daffod chi. Ac yn gwrthod rhoid dyfodol i chi. Mond blanc.

"A ti 'di gneud y Gei Ffocs," meddach chi.
O do, siŵr! medda finna.
A'r Gei Ffocs yn ca'l 'i gario allan o'r cwt gin Ian a Deifid a Siôn a fi. A Bobdrwsnesa. Fel rhyw ddefod i gyfeiliant sŵn y jympin jacs a'r romancandls a'r rocets a'r bangars a'r cathrinwîls a'r cascedinffowntens. Chi'n cofio, Dad?

Cofio? Be ydy cofio?

A'i osod o ar y goelcerth. A'r goelcerth yn clecian i fywyd. A'r fflama'n lapio am y Gei Ffocs. A'i larpio fo. Yn y tân y Gei Ffocs yn datod oddi wrth 'i gilydd. Yn dadfeilio ac yn daffod.

Chi'n cofio, Dad?

Cofio? Be ydy cofio?

"Infarcts," medda'r doctor drachefn. "Darna o'r ymennydd sy'n marw oherwydd fod llif y gwaed iddyn nhw yn ca'l 'i atal. Ei rwystro. Strôcs bach fel dudish i." Nes gneud i mi feddwl am giang. Giang o Little Italy Scorsese. Neu giang o'r Bronx. Sy'n 'u galw'u hunan yr Infarcts. Capilari yn chwyddo am allan fel swigan o fyblgym coch o geg un o'r Infarcts hefo'i shel-siwt a'i fobeil a'i dreinyrs Nike. Byrstio! Pum mlynadd o'ch bywyd chi 'di mynd, Dad. Yr Infarcts yn cadw riat i lawr stryd 'ch hanas chi. Malu ffenast-siop rhyw ddigwyddiad pwysig i chi fel – fel be? – 'ch priodas chi â Meganjôs, falla, ar 16 Awst 1950. Cicio drws rhyw awr o blesar am i mewn. Rhoi cic hefo Docmartens ym môls pwy ydach chi. Ysbeilio celfi'ch gorffennol chi. Piano dydd 'ch ordeinio chi yn offeiriad. Dresal dderw y dwrnod y buo'ch mam farw a syna records 78's y dylluan honno oedd yn sgrechian a sgrechian yn y nos cyn 'i marw hi fel y byddach chi'n adrodd yr hanas. (Hefo be fuo hi farw, Dad? Cansar ar y pancreas. Lle ma'r pancreas? Tu mewn i chdi.) Ffrij yr holl betha oedd yn brifo tu mewn i chi – cleisia'ch enaid chi – ond na fyddach chi fyth yn sôn amdanyn nhw. Mi oedd yna anghofio ynoch chi erioed, yn doedd, Dad? Meicrowêf y gwrid hannar nos pan fyddach chi a Mam hefo'ch gilydd a finna'n gwrando a chitha ddim yn gwbod. Sbïwch, Dad, ma'r Infarcts yn mynd â nhw i gyd. Ma'r cyfan ohonoch chi'n ca'l 'i ysbeilio, Dad. A 'dach chi yn ôl yn eich hen arfar yn gneud dim am y peth. Ffyc-ôl am y peth. Ma'n nhw'n piso holl lagyr pnawn yng ngheg siop eich meddylia mwya personol chi na ŵyr neb amdanyn nhw ond chi (wydda 'na neb fawr amdanach chi, Dad) nes bod y meddylia yn slwtsh melyn ar y rhiniog ac 'Ar Gau' yn hongian ar un ochor ar wydr y drws fel ceg dyn 'di ca'l strôc. Erosolio'ch blynyddoedd chi. 1917 blwyddyn eich geni chi. 1956 blwyddyn fy ngeni i (dwi'n cymryd fod honno'n flwyddyn bwysig?) Wedi mynd. Erosolio wyneba a dyddiada a digwyddiada. Yr Infarcts, Dad.

Cyt!

Dydd Gwener, 29 Awst 1997

Ysgol Sul Eglwys Dewi Sant, Blaenau Ffestiniog, 26 Mai 1899.

Y Parchedig Edward Thomas yn holi cwestiynau i'r plant.

"Ble roedd Samson, where was he?"

Oedi mawr. Tawelwch fel glöyn byw llonydd ar baen cynnes gwydr ffenast. Yr ha' tanbaid yn synau mân mân y tu allan. Sŵn sboncyn y gwair yn gryg yn y gwelltglas. Siffrwd syber ychydig o bobl ar y pafin bron yn ofni byw a symud yng nghaethiwed y Saboth du, eirias. Sŵn llechen yn sglefrio ar draws llechen ar y domen bell, boeth. A'r ficer yn fan'no'n ddubitsh yn llonydd fel bysedd cloc mawr wedi glynyd ar hanner nos. Llygaid pob un o'r plant yn eu tro yn rhedeg ar hyd corff y ficer gan ddod i orffwys ar eu desgiau gweigion. A'r poethder yn twchu.

"Wel!" medda'r ficer, "pwy rydd yr ateb i mi, who will give me the answer?"

Mae yna un fraich yn codi'n araf. Sgriffiad o fraich.

"Ia. Robin Ned. Dudwch chi, you tell us."

"Gasa, sir," medda Robin.

"Gaza," medda'r ficer yn ôl. "Da iawn, very good. Gaza."

Dydd Gwener, 29 Awst 1997

Y rîl yn troi.

Yng ngheg y lownj. Pam ma' drws y lle 'ma erbyn rŵan yn

troi'n geg yn fy meddwl i? Mi welish i 'nhad yn 'i gadair a het wellt ar 'i ben. Iesugwyn, medda fi wrtha fi'n hun, Bill an' Ben the flowerpot men. Wîd, Nhad! medda fi wrtha fi'n hun. Mi oedd Anti Annie yno wrth 'i ochor o. Dashbord car oedd y tre bwyd o flaen 'y nhad y pnawn 'ma. Yn 'i law o mae'r olwyn lywio.

"Car," medda Anti Annie a wincio arna i. Rwbath ar 'ch llygad chi, medda fi wrtha fi'n hun.

"A lle 'dan ni am ga'l mynd heddiw?" medda hi.

"Ffyst! . . . Second! . . . Thŷd! . . . Brrm . . . Ffôrth! . . ." medda 'nhad.

"Y gêrs," medda Anti Annie.

"Iesu, ia!" medda finna.

A 'nhad yn sbio o'i flaen ar hyd y lôn wen, wag, hollol ddidraffig a'i phen draw hi ymhell bell dros y gorwel mewn lle o'r enw Dinas Nunlla.

Ma' hi'n bwrw, Dad, medda fi.

"Weipars," medda fo.

Tu mewn i mi, medda fi wrtha fi'n hun. Yn stillio bwrw. Yn stido bwrw. Yn piso bwrw. Yn bwrw ffwcin hen wragadd a hen ddynion a ffyn a simyrs a chadairolwyn a rybyrshîts a Sudocrem a Complan ac ogla piso stêl. Dwi'n mynd, Dad, medda fi. Cydio yno fo. Ei wasgu fo. Gwasgu fel petawn i'n trio'i ddal o hefo'i gilydd. Licio'ch het wellt chi, dwi'n 'i ddeud wrtho fo. 'Dach chi fel Tom Sawyer.

"Nadw! Fel Huckleberry Finn, ti'n 'i feddwl," medda fo. A wincio. Am funud . . .

A dyma fi'n gafal yn llaw 'nhad.

"Paid!" medda fo fel petai o'n deud y drefn wrth hogyn bach. "A finna'n trio newid gêrs. Ma'r peth yn beryg."

Tu mewn i mi mae sŵn y glaw yn ddibaid a'r dafna dŵr yn hallt fel dagra.

"Ffôrth", mi glywn i o'n deud wrth i mi rŵan ddengid drwy ddannadd y drws.

"And how is the earth divided?" medda'r athro.

"By longitude and by latitude," medda Elin yr hogan fach bryd tywyll oedd yn eistedd yn nhu blaen y dosbarth.

"Iesu!" medda Ifan dan 'i wynt wrth Robin, "sachdi ofn ca'l sws gin honna rhag ofn ichdi ecsblodio gan mor glyfar ydy hi."

"Latitude a longitude," medda Robin wrtho fo'i hun mewn rhyfeddod.

Elin oedd yn ca'l pob sym yn iawn. Elin yr oedd 'i braich hi fyny o flaen pawb arall i atab pob cwestiwn. Elin, meddan nhw, oedd yn ca'l gwersi arbennig gin y ciwrat am 'i bod hi mor glyfar.

"Y ciwrat 'na nad ydy o'n credu mewn dim byd ond mynd trwy fosiwns crefydd," medda mam Robin un dwrnod. "Migmas addoliad," ychwanegodd. Oherwydd 'i fod o wedi sôn am ryw Mr Darwin o'r pulpud. A nad oedd Genesis yn wirbobgair. A bod y llechi yn hŷn na dyn.

"Rhag 'i gwilydd o'n deud hynny," medda Jên Catrin, "yn deud hynny yn Stiniog o bob man. Y llechi sy 'di lladd cyn gymint o ddynion y lle 'ma yn hŷn na'r dynion rheiny. Ma'r peth yn ysgymun. Yr hen gena iddo fo."

"Be ti'n ga'l gin y ciwrat, Elin?" medda Robin Rhôl.

"Byd arall," medda Elin.

Elin ofynnodd i Robin gario'i bag hi adra ryw ddwrnod am nad o'dd hi'n teimlo'n dda. Ac am bythefnos wedyn mi fydda Robin yn gofyn iddi hi o'dd hi'n well.

"Mi gei di ddal i gario 'mag i ta," medda hi wrtho fo un dwrnod.

A dyna pryd y cafodd y ddau yr enw – enw gafodd 'i daflu un pnawn ar ôl 'rysgol fel carrag o'r tu ôl i wal – "Dau Gariad". Carrag feddal na fedra hi fyth gleisio na brifo. Yn wahanol i

lechen. Y garrag giaidd dal-petha-i-mewn oedd yn hŷn na dynion a merched a phlant.
"Sut mae o, metron?"
"'Run fath."
"Dwi'n dŵad adra fory."

Dydd Llun, 1 Medi 1997

Roedd fy nhad yn 'i wely a napi amdano fo. Napi glas gola.

Dydd Mercher, 3 Medi 1997

Fel tinffoil ar dyrcidolig. Ac ogla'r tyrci'n cwcio. Hisian a chlecian y saim. Y gegin yn gynnas gynnas drwyddi. Fel "rho dy law ymhocad i, i ti ga'l cnesu". Y tyrci'n melynu fel mêl wrth rostio. A'r ogla'n ddigon "i dynnu dŵr o dy ddannadd di, tyndio?" Nid ogla fela sy fa'ma. Ogla hylif antibacteria. Ogla crîm-rhag-i'r-croen-lidio. Crîm tin. Crîm coc. Ogla ffisig do's 'na ddim mendio iddo fo. Ogleuon oer. A'r patsh petryal o oleuni ar y môr draw yn fan'cw fel y darn hwnnw o dinffoil fydda Mam yn 'i roi dros dyrcidolig.

Dadweindio'r cof.

Bora'r Dolig. A mi rydach chi'n codi'r afrlladen. Yr afrlladen yn 'i ddulo fo fel lleuad llawn a'i wenwisg o fel lloergan. Carped glas-môr-tywyll y cysegr yn llifo tuag aton ni. Fi a Mam a'r bobol erill yn donna mân yn bownsio ar li' y geiria o'dd yn troi'r cyfarwydd yn ddirgelwch. A'ch dulo chi yn codi'r gwpancymun. A chitha'n rhywun arall. Nid Dad. Yn fan'cw. Yn bell bell wrth yr allor.

"Dy greaduriaid hyn o fara a gwin," meddach chi. 'Ch geiria chi'n medru troi'r gwin yn waed. "Yfwch o hwn, bawb." A mi o'n i'n gwbod o hynny ymlaen fod geiria'n medru newid petha.

Mai dorau a ffenestri ac allweddi oedd geiria. A dyma fi'n dechra enwi petha yn 'y ngho. Coeden. Medda fi. Mam. Organ. Nos. Goleuni. Dŵr. Coch. Lleuad. Nadolig. Ac yn betrusgar. Marw. Ac wrth enwi mi oeddwn i'n creu fy myd.

"Gwaed ein Harglwydd Iesu Grist, yr hwn a roddwyd drosot ti, a gadwo dy gorff a'th enaid i fywyd tragwyddol," medda 'nhad wrth Mususjôsnineteen ar ben rhes. Ac yn sydyn fedrwn i ddim disgwl mynd o'na i mi ga'l agor 'y mhresanta Dolig. Ac wrth edrych yn ôl o ben bont ar yr eglws mi welish i hi yn drybola o oleuni. Fel petai hi wedi'i gwneud o oleuni. Dwi isio bod yn Berson fel chi, Dad, medda fi wrtha fi'n hun un bora Dolig ar ôl 'ch gweld chi'n gweinyddu'r cymun. Chi. Consuriwr hefo geiria. Ond ddudish i ddim wrth neb. Ddim hyd yn oed wrthach chi.

Hogynficar!

Hogynficar! o'ddan nhw'n 'i weiddi arna i'n 'rysgol.

Gweddïa 'ŵan!

Ti'n coelio'n Iesu Grist?

Dŵad nad o's 'na ddim duw neu mi ro i dy ben di'n toilet.

Ond mi o'n i 'di dysgu gair newydd gin Bobdrwsnesa na ddylai 'run hogynficar fyth mo'i wbod o.

"Ffygoff!" medda fi wrtha fi'n hun wrthyn nhw. "Fela ti'n 'i ddeud o, ia, Bob?"

"Naci! Dau air ydy o'r llo jolilob. Tria fo eto."

A 'ma fi'n gneud. A'i ga'l o'n iawn fel sym.

"Da iawn," medda Bobdrwsnesa, a'i fraich o ar 'y nghefn i fel tic. "A mi weli di nhw'n sgrialu fel llygod ar ôl i ti 'i ddeud o."

"Iesu! medda fi, ma geiria'n ffantastig, tydyn nhw, Bob?"

"Paid â deud Iesu a chditha'n hogynficar," medda Bob.

Atgoffwch fi eto, Nhad, o'r penderfyniad ynfyd hollol yna wnesh i un bora Dolig wrth 'ch gweld chi'n codi'r afrlladen a'r gwpan o drysora'r geiria cyfrin yr oeddach chi'n 'u hynganu. A neb arall ond chi yn ca'l 'u llefaru nhw. Geiria sanctaidd, cêl, geiria iesugristeihun. Geiria oedd yn agor pobol i'w dirgelion. Chi. Yr offeiriad. Atgoffwch fi. Fi. Yr offeiriad. Fi. Yr anffyddiwr yn loes 'i galon. A phnawn 'ma dwi'n plygu drosochi. Ni'n dau wynab yn wynab. Fel tasan ni'n ffraeo. Mor agos. Nes bo'n gwyneba ni'n diffodd yn 'i gilydd. A medda fi wrthach chi – bron yn rhoid geiria yn 'ch ceg chi. "Corff a gwaed ein Harglwydd Iesu Grist, Dad, a'th gadwo yn y bywyd tragwyddol." A 'ma'ch ceg chi'n agor fymryn fel sbecian i dderbyn y darn llia o afrlladen wedi'i mwydo yn y gwin. Gwin! Be haru fi! Gwaed! Gwaed! Mae'r geiria cyfrin wedi gweddnewidio pob dim.

"Be ydach chi'n 'i neud?" medda'r ciwrat newydd noson Diolchgarwch ar ôl y gosber.

"Sbio ar y lluad," medda Elin, "a mae o fel ffwl-stop. Ond withia mae o fel coma."

"Wel, wel, wel," medda'r ciwrat, "dyna mi dda. A phwy ydy'r hogan glyfar yma?"

"Elin," medda hi.

A Robin y tu ôl iddi yn teimlo'r genfigen yn lwmp calad tu mewn iddo fo yn union fel yr oedd o'n teimlo cledwch yr afal yn 'i boced roedd o wedi'i ddwyn oddi ar ymyl y fedyddfaen yn ystod hel-casgliad a fynta wedi ca'l 'i wthio i fan'no am fod yr eglws dan 'i sang.

Thomas Leibrari waeddodd o'i sêt ar ganol pregath y ciwrat bum mlynedd yn ddiweddarach:

"Mr Evans! It is original sin not natural selection."

"Be 'udodd o?" medda mam Jo-bach-Dorfil.

"Fod o'n mynd i'w roid o yn y bin," medda Ifans Central Stôrs.

"Sin!" medda Lloyd Banc. "Be haru chi, dwch! Sin!"

A mi o'dd pawb yn meddwl fod y Person yn mynd i ga'l strôc yn y Reading Desk gan fod 'i wynab o yn gochach na cochineal.

"Hum thyrti-tw," medda'r Person. A mi o'dd o'n ffrwcslyd reit nes colli'i lyfr hums ar lawr a'r pejys yn sgrialu i bobman.

"Hum thyrti-tw," medda fo eto. "Sing will you! Canwch! Canwch!" A mi gafodd y ciwrat 'i halian o flaen yr esgob ym Mangor a'r Person yn cyhoeddi y Sul wedyn na fydda fo byth yn dŵad yn ôl achos fod tywydd tamp Stiniog yn chwara'r bêr hefo'i jést o.

"Mi roddach chi'n teimlo yn 'i lais o nad o'dd 'na Dduw ar 'i gyfyl o," medda W.D. yn y portsh.

"Ond yr annwyd oedd yn deud ar 'i lais o, 'ntê, fel y dudodd y Person ar ôl yr esgob," medda Harriet Tucker.

"Be nei di rŵan?" medda Robin wrth Elin.

"Fedri di ddim ca'l gwarad ar syniada," medda hi. "Fyth!"

A sgubo'i fraich o oddi ar 'i hysgwydd.

Dydd Iau, 4 Medi 1997

"Gweiddi am 'i fam mae o heddiw," medda'r metron wrtha i ar y ffor' i mewn. "Hen sein drwg," medda hi.

Dydd Gwener, 5 Medi 1997

Y stribyn cnawd yma yn plethu i'r dillad gwely oedd . . . fu . . . ydy? Nhad? . . . Nhad! Fel asgwrn tsiopan wedi'i chnoi a'i chnoi gin hen gi a'i gadal wrth ochor y dysbin. Sbwrial cnawd. Cnawd fel cadach llawr yn slwtsh ar stepan drws. Cnawd fel sgid gachu ar ban toilet. Hen-sach-dan-drws-o-gnawd-i-stopio-drafft. Dwi'n troi oddi wrtha fo. Mi wela i'n llun yn y drych. Iesu! dwi'n casáu hwn. Dwi'n eistedd ar erchwyn y gwely. Ac yn syllu ar bacad o digestifs ar 'i hannar. Dwi ar erchwyn pob dim, 'di mynd. Mi glywa i'r lleisia. Eto.

"Paid â rhefru, nei di!"

"Ma'r hogyn 'ma'n rhefru byth a beunydd am rwbath . . ."

"Am be ti'n rhefru rŵan!"

"Ma' 'na ryw weiddi mawr tu mewn i chdi . . . !"

"Hwn-a-hwn 'dani dragwyddol gin ti . . . !"

"Do's 'na ddim heddwch ynot ti'n nagoes . . . !"

Fuo 'na 'rioed, Nhad.

Fan hyn ar y cyrion.

Dydd Sul, 7 Medi 1997

Ma' 'na rwbath amdanach chi a fi a gwelâu Dad pan oddach chi'n cysgu hefo fi pan o'n i'm yn gadal i Mam a chi gysgu hefo'ch gilydd cos o' gin i ofn y nos a phetha erill ond cyn i chi ddŵad ata i withia mi fyddach chi'n mynd at Mam a mi fyddwn i'n gwrando ar 'ch sicrets chi fel Ooooooo a phan o'n i'n sâl mi dduthoch chi o Dre hefo gwn Jêms Bond imi a'i daflyd o ar y glustog hefo hwda a'r gwn yn ddu hefo carn brown a baril hir a mi o'n i 'di gwirioni ac yn well a chitha'n deud sonofagun a'r tro hwnnw pan o'n i'n prifio ac yn gneud petha yn y düwch a 'nhu mewn i o'n i'n meddwl yn byrstio a be o'n i'n 'i feddwl o'dd gwaed a mi o'n i'n meddwl 'mod i'n marw a 'ma fi'n rhedag i lawr atoch chi i'r gola a'r gwres yn rŵm ffrynt a 'ma fi'n deud 'mod i'n meddwl 'mod i'n marw a 'ma chi'n deud nag w't ond paid â gwrando ar be 'ma' hen hogia yn 'rysgol yn 'i ddeud wrthat ti am 'i neud a nesh i fynd yn ôl i'r gwely g'lyb. Heddiw yn eich gwely a'r dillad wedi eu tynnu'n sobor o dynn amdanoch chi. Chitha yn eich cwman a'ch pennaglinia bron wrth eich gên chi. Fel mewn croth. A mi fydd Mam yn densian ar ben drws yn gofyn imi sut o'dd o heddiw a mi fydda inna'n deud eitha.

Dydd Mawrth, 9 Medi 1997

Ben bora

Yr haul peth cynta'n bora yn ffenast liw yng nghadeirlan y coed. Dirnadaf ryw Haelioni yn tasgu o bob dim. Haelioni sy'n lapio am fy nhad a'i ddandwn i lawnder y tu hwnt iddo fo'i hun sy'n darfod. Heddiw, Nhad, sgin i ddim ofn i chi farw. Sgin i ddim ofn i neb farw heddiw. Heddiw.

Gyda'r nos.

Arglwydd! O lle dda'th hwnnw?

Chwara hefo geiria w't ti, medda'r Llais. Y llais garw gwrol.

Chwara hefo ffwcin geiria ydy pob dim, dwi'n 'i weiddi'n ôl. Geiria fel rhyw hen sioe rad mewn hen dre la' môr wedi mynd a'i phen iddi. Ista ar air a siglo dy hun i'r awyr yn uwch ac yn uwch ac yn uwch nes dy fod ti'n teimlo'n sâl yn si-so'r gair. I fyny a lawr â chdi. Fyny a lawr. Sglefren gair. Whî. Lawr â chdi. Lawr ar dy din i'r mwd tywyll, i'r malu cachu. Chwrligwgan geiria. Merigorownd geiria. Ceffyla bach geiria. Rownd a rownd a rownd. Bympingcars geiria yn mynd yn glewtan i'w gilydd nes gneud sŵn gwag. A hen wên wirion ar flaen pob gair. Candifflos geiria. Inja roc geiria. Lycidips geiria a hen anrhegion sâl yny' nhw. Rygarŷg geiria. Balŵns geiria'n byrstio'n llipa ar dy law di. Mwnci-pen-pric geiria yn gneud yr un un hen dricia hyd syrffed. A'r sioe yn stopio yn sydyn. Peidio. Dod i ben. Darfod. A'r mudandod fel tarpwlin yn huddo'r cwbwl.

Yr awyr yn wag bellach. Lle bu duw unwaith. A duw yn air amddifad ym mrawddega merched a dynion a phlant.

Dydd Mercher, 10 Medi 1997

Dwi 'di dwyn goriad 'reglws, hogia, dwi'n 'i ddeud. A ffwr' â ni. Yn sleifio i mewn i'r eglws. Ian a Deifid a Siôn a fi. A Bobdrwsnesa. Lle ma' Daisy Hughes yn gorwedd yn 'i harch. A'i harch hi'n rhyw fud sgleinio yng ngola egwan, claf dwrnod ola'r flwyddyn. Ei harch hi'n debyg o gefn 'reglws i dda-da barlishygyr o siop gemist Arthur Williams ar y Maes yn Dre.

"A' i gynta," medda Bobdrwsnesa, "hogynficar wedyn a rest ohonoch chi ar 'i ôl o."

A dyma ni'n martsio fel rhyw brentisiaid yndyrtecyrs at yr arch.

"Dowch," medda Bob, "g'owch inni'i hysgwyt hi i edrach 'dy hi yna."

Yna medda fo wedyn, "Arglwydd, ma' hi fel tunnall o frics, 'chan. Codwch hi'r diawliad."

Ond mi o'dd hogla farnish yr arch yn codi cyfog arna i. Hen ogla melys fel ogla gliw eroplêns Airfix.

"Well 'ni fynd, dwi'n meddwl," medda Bob, "ma' hi'n oer iawn yma. Dowch danbont i gydmaru cocia."

A dyma ni'n 'i heglu hi o 'reglwys. A draw yn fan'cw mae dŵr llwyd y Foryd fel crafat am wddw gwelw'r awyr. A'r cymyla duon llawn o'r nos sydd ar ddŵad yn dechra heidio hyd bobman. Cymyla'n debyg i benna'n madru ac yn gwsnio yn y pridd yn fynwant. Ew! a mi nesh i feddwl am yr holl gariad o'dd 'di gladdu yn y fynwant 'na. A mi esh i danbont. A rhwsut yn 'y nghalon y noson honno yn 'y ngwely mi o'n i'n gwbod nad o'dd 'na'r ffasiwn beth ag atgyfodiad. Mond dyheu a hirath ac wylo a'r tristwch mwya a deimlish i 'rioed. A mi nesh i ddiflannu dandillad. Ond rwbryd yn y nos mi glywn i sŵn Daisy Hughes yn 'i harch. Sŵn a'i liw o'n frown fel farnish seti 'reglws.

Sŵn llwm. Sŵn trwm. Drwm corff. Sŵn marw.

"Ma' sŵn marw yn sŵn ofnadwy, tyndio," medda fi wrth Bobdrwsnesa gefn dydd gola dwrnod wedyn.

"Yndy mae o. Uffernol, 'achan," medda Bob a'i ddulo fo'n oel motobeic i gyd a'i lgada fo'n pefrio wrth sbio i berfadd 'rinjan. A mi fuo fi'n trio tynnu'r sŵn yna o 'nghlustia am flynyddoedd wedyn.

Hyd y dydd heddiw, Nhad.

Dydd Iau, 11 Medi 1997

"Ma'n nhw fel bacha," medda Robin am yr elyrch oedd yn nofio yn nŵr y Cei ym Mhorthmadog ddwrnod y trip ysgol Sul.

"Fel llythrennod S," medda Jên.

Syllai Elin am yn hir i'r dŵr ar ochor dywyll y cei lle roedd y tonna'n codi'n ddu fel clapia o lo.

"Sbïwch," medda Jên, "ma'r Cnicht fel siâp A."

"A'r ddau Foelwyn fel y llythyran M," medda Robin.

"Fel AM," medda Jên.

"M ac A fel yn MAM," medda Robin.

"M ac A fel yn MARW," medda llais y tu ôl iddyn nhw. A dechra chwerthin. Llais dyn o ganol stacia o lechi. A'r haul y tu ôl iddo'n ffyrnig nes 'i droi o a'r llechi'n siapia dubitsh.

"Dowch o'ma," medda Jên.

Edrychodd Elin i ddüwch yr haul ac i berfeddion y dyn yn y düwch oedd yn dal i chwerthin nerth 'i ben, a sylweddolodd fod y byd i gyd yn lle peryglus.

"Dwi 'di ca'l digon ar 'rysgol," medda Robin yn y trên ar y ffordd yn ôl am adra. "Dwi'n mynd i withio i Post."

"Ti'n ddyn, felly," medda Elin wrth symud 'i law oddi ar 'i phen-glin. Roedd hi isio'i chorff iddi hi 'i hun. Am ychydig eto. Trwy ffenast y cerbyd trên edrychodd Robin ar yr awyr. A'r

dwrnod yn dod i ben fel plentyndod. Teimlodd 'i hun yn croesi rhyw ffin yn 'i gorff 'i hun. Fedra fo ddim ymatal a rhoddodd gusan i Elin ar 'i boch. Ond collodd 'i blwc.

"Sori," medda fo.

"'Swn i feddwl, wir," medda Elin, "dwi'n disgwl mwy nag un. Rwbryd."

Dydd Gwener, 12 Medi 1997

Bwa enfys yn codi o du ôl i gastall Cricieth ac yn darfod rwla o flaen Caerdyni. Cysgu mae o. Trwy ffenast 'i stafell y gwelais i hi. Yr enfys. Dwi'n troi i sbio arno fo. Noa ydach chi Dad yn 'ch arch medda fi wrtha fi'n hun a ma' duw yn deud fy mwa a roddais yn y cwmwl a dwi'n clŵad chi'n deud sut w't ti'n medru cofio lliwia'r enfys mi dduda i wrthat ti richard of york gained battles in vain mnemonic ma'n nhw'n galw peth fela helpu chdi gofio a'r gair yn gneud i mi feddwl am Meccano a 'dach chi'n tynnu medals 'ch Yncl Bob chi o'r biwrô a dwinna'n deud fod y rhubana fel lliwia'r enfys ond does 'na ddim enfys rŵan bellach ma' hi 'di mynd mond twllwch tu mewn i mi a thywyllwch a fu ar yr holl ddaear hyd y nawfed awr achos tu mewn i mi mae storm sydd wedi bod erioed. Yn barhaus chwilio yr ydw i am ieithoedd tu mewn i'r Gymraeg i fedru mynegi beth sydd yn ddu ac yn boen sy'n cnewian yn ddwfn yno'i. Chwilio am y lleisia. Am y llais. Ond poen ydy llais i ni, yntê, Nhad?

Be sy'n bod ar lais dy dad?

Hwnnw oedd poen tŷ ni. Eich llais sgrwnsian-bag-o-greision-chi. Eich llais crensian-celogs-chi. Pawb yn meddwl fod cansar arnach chi. Cansar yn y gwddw. Cansar ar y laryncs. Ond doedd neb yn deud dim. Cyfrinach gyhoeddus oedd hi.

Shht-mawruchel. A Mam a finna'n bihafio fel tasa 'na ddim byd o'i le. Fel tasan ni'n 'ch clŵad chi'n iawn. Fel tasa pawb yn 'ch clŵad chi'n iawn. Be ma' Person 'i isio fwya, Nhad? Y? Dwi ddim yn 'ch clŵad chi. Gwaeddwch. LLAIS. Ia, 'na chi. Dyna be ma' Person 'i isio fwya. Ma' gas gin i leisia Personiaid. Lleisia tysan boeth yn 'u cega nhw. Lleisia susnag crand. Lleisia gneud. Lleisia oer, pell, du fel cloria Beibil. Lleisia bilidowcars. Achos bilidowcars ydy Personiaid yn 'u düwch dubitsh cadwch draw. A'ch llais chi fel llais yn dŵad drwy weirles pan ma'r derbyniad yn sâl. Meddach chi yn eich llais hen-record-sy'n-sgratsys byw. Llais sboncyn y gwair. Llais fel injan car yn gwrthod startio. Llais gwydr yn malu. Llais troedio graean. Heno, Nhad, ym mudandod y stafell ac enfys yn rhwbath sy ym mhellter y cof, dudwch lond llaw o eiria wrtha i yn eich llais-fel-rhwbio-cyllath-yn-erbyn-gratur.

Rîl y cof.

A'r hen ddynas dew 'ma o 'mlaen i sy 'di bod yn lladd ar 'y nhad drwy'r gymanfa gan ddeud nad ydy hi'n clŵad diawl o ddim o be ma'r dyn 'ma'n 'i ddeud wir ac yn deud fod 'i thraed hi'n oerynllema a thra oeddan nhw'n canu am Iesu Grist a'i farwol glwy mi roeddwn i'n cogio bach sgwennu llythyra atyn nhw annwyl yr hen beth dew dwn i ddim ydach chi 'di sylwi ond dwi 'di sticio jiwing gym ar y sêt lle rydach chi'n ista felly ma'ch tin talcan tas chi yn jiwing gym i gyd a'r gwaed a redodd ar y groes o oes i oes 'tydy llais y dyn 'ma'n ofnadwy annwyl y dyn ddudodd hynna ma' Bobdrwsnesa 'di dysgu gair newydd i mi felly dwi'n 'i ddeud o wrthach chi cont a rhyw newydd wyrth o'th angau drud a ddaw o hyd i'r gola cansar sy arno fo meddan nhw annwyl y ddynas ddudodd hynny gobeithio newch chi dagu ar y sgonsan yn y te yn y tshyrtshrwm wedyn wrth ichi'i stwffio hi i mewn i'ch ceg twll din iâr dal fi fy nuw dal fi i'r lan 'n enwedig dal fi lle rwy'n wan a be fuoch chi'n 'i neud yn y gymanfa heno medda'r Person o'n i'n gwbod o'dd yn licio hogia bach wrtha i hogi geiria medda fi wrtha fi'n hun canu am Iesu Grist medda fi wrtho fo a 'ma fi'n cau trapdôr geiria yn 'i wep o a mynd 'nôl danddaear yno' fi'n hun da iawn chi medda fo a rhedag 'i law ar hyd 'y ngwallt i ac yn drws medda Bobdrwsnesa tisio gwbod wbath newydd os o's gin ti dwll yn bocad dy drwsus mi fedri di chwara hefo dy bidlan trw dydd esgob medri Bob medda fi wrth Bob medri'n tad medda Bob drw dydd a ma' Dad yn wincio arna i draws y stafell llawn pobol a finna'n wincio'n ôl arno fynta a 'ma fi'n sylweddoli fo 'nhraed i mor gynnas â thu mewn i fecws ac ar ôl te mi aethon ni'n ôl i 'reglws dwi 'im yn coelio dim byd o hyn sti medda Bobdrwsnesa ar 'i linia wrth 'n ochor i'n sibrwd tra o'dd Nhad yn adrodd y colecta ond sgin ti 'im ofn marw medda fi'n ôl nago's siŵr dduw 'dy marw mond fatha mynd i gysgu a ti byth yn deffro ti i'm callach Bob dwinna 'im yn coelio mewn dim chwaith medda finna well done medda Bobdrwsnesa ond well inni gau'n cega neu mi fydda' nhw'n deud nad ydyn nhw'n clŵad dy dad ETO amen medda pawb amen medda Bobdrwsnesa ond nesh i ddim deud amen oherwydd 'mod i wedi stopio credu a'r gair eto yn gneud sŵn yn 'y mhen i fel pres yn taro plât casgliad.

O ynfyd, y peth yr wyt ti yn ei hau, ni fywheir oni bydd efe marw. A'r peth yr wyt yn ei hau, nid y corff a fydd yr ydwyt yn ei hau, ond gronyn noeth, ysgatfydd o wenith, neu o ryw rawn arall, medda 'nhad wrth ddarllen y bennod gladdu a'i lais o fel sŵn ffeilio yng nghnebrwng Bobdrwsnesa o'dd wedi ca'l 'i ladd efo motobeic. Pan fethisti'r tro 'na Bobdrwsnesa ar gefn dy fotobeic, ewadd! 750cc oddo fatha mynd i gysgu a byth yn deffro? Oddat ti ddim callach? Wedi'i ladd. Wedi'i ladd. Wedi'i ladd. Fedrwn i ddim peidio deud yr ymadrodd yn 'y mhen ar ôl i mi glŵad. Mantra marwolaeth. A Bob wedi troi'n lle gwag. Ddudast ti mo hynny, Bobdrwsnesa, mai dyna be ydy marw. Lle gwag. A chditha'n gwbod pobffwcobobdimarall. Chdi! Gwyddoniadur fy mhlentyndod.

Dad, medda fi ar ôl y cnebrwng, be ydy ysgatfydd?

"Efallai," medda 'nhad fel 'tai 'na ddim byd o'i le ar 'i lais o. A 'ma fi'n sbio i wyn yr awyr.

Ysgatfydd, medda fi i'r gwynder.

Dydd Sadwrn, 13 Medi 1997

Hollalluog Dduw a Thrugarocaf Dad, mendia lais Dad, plîs-plîs-plîs. Yn naw oed. Dwi'n 'i ddeud.

Fel siarad hefo fi'n hun.

Yn nhrymder y nos.

Dan ddillad.

Dydd Sul, 14 Medi 1997

Cefais freuddwyd neithiwr. Gwelais alarch ar y dŵr. Ei wynder gosgeiddig fel bach yn cydio'r awyr a'r dŵr wrth ei gilydd. Yn ei unman rhwng daear a nef ac yn eu huno. Mae o'n llonydd fel myfyrdod. Yna mae ei adenydd yn lledu'n ddiog ac yn dechrau curo ar y dŵr. Dobio'r dŵr. Yn drwm, yn araf, mae o'n codi a'r dŵr yn chwalu o'i adenydd fel gwydr potel yn malu'n shitrws yn erbyn wal. Y defnynnau dŵr fel gwahaniaethau. Fel meddyliau blithdraphlith. Fel ofnau. Fel bod-ar-chwâl. Diflanna'r alarch. Ymdodda i'r Gwacter gwyn. Nid oes ar ôl ond Gwacter y dŵr a'r awyr. Dwi'n teimlo'n hun yn crefu am yr Alarch sy'n nofio'n ddisymud ynof. Am y cytgord mawr. A dwi'n deffro. A'r deffro fel peltan.

Dydd Llun, 15 Medi 1997

Cyrhaeddodd y ddau y cyntaf o'r rhaeadrau yng Nghwm Cynfal. Camodd Robin yn nes at yr ymyl. Syllodd i grombil rhyferthwy'r dŵr. Fel barf wen yn disgyn ar wasgod ddu. Fel y llun o dduw oedd ganddo fo estalwm, meddyliodd Robin. Yn dweud ei bader cyn cysgu ac yn cau'i lygaid yn dynn, dynn a duw yn gwrando achos mi oedd o'n medru gweld ei farf wen o'n disgyn fel rhaeadr ar ei fron ddu llawn barn o. Goblés, fydda fo'n 'i ddweud. Goblés hwn a'r llall. Goblés hon a hon. Amen. A duw yn gwrando. Estalwm.

Oddi tano fo mi welai Robin y dŵr du yn troi a throsi, yn driog aflonydd, a'i ddyfnder o'n gyfrinach. Pa mor ddyfn oedd o? Mor ddyfn â thragwyddoldeb. Y gair oedd wedi dychryn Robin erioed. "Mae duw yn dragwyddol." "A gadwo dy gorff a'th enaid i fywyd tragwyddol." "Yn tân tragwyddol byddi di." A'r pwll du tragwyddol yn ei ddenu o fel chwilfrydedd. A mi oedd o'n teimlo'n hollol ar ei ben ei hun. Heb enw. Heb Elin. Heb y pethau oedd yn dweud mai fo oedd o. Heb sicrwydd y cyfarwydd. Ond y pwll du yn denu, denu a sŵn y dŵr – barf duw – yn fyddarol ar ei glyw o. A byw yn rhywbeth yr ydach chi'n ei neud ar eich pen eich hun wyneb yn wyneb â'r trobwll du sydd â'i ddyfnder o'n dragwyddol ac sy'n 'ch denu chi a'ch hudo chi a'ch llygad-dynnu chi. Weithiau roedd bywyd a marwolaeth yn anwahanadwy, dirnadodd. Yn yr un un lle.

"Robin!" gwaeddodd Elin.

A'i dwy law yn solat ar 'i sgwydda fo. A'i gwynab hi'n llawn dychryn.

"Be haru ti! Fuo bron ichdi ddisgyn."

A rhoddodd Robin y syniad o'i feddwl. A dyma fo'n gwasgu Elin ato a'i chusanu hi. Eu cusanu nhw yn dywyll, wlyddar ac amser rywsut yn ddiogel o'u cwmpas nhw.

Dydd Mawrth, 16 Medi 1997

Dad!

"Ia!"

'Dach chi isio gweld brecwast?

"Oes."

Sbïwch, medda fi a dangos y brecwast iddo fo.

Sbïwch! Ar ŵy-'di-ffrio'r haul ar blât yr awyr a'r melynwy'n rhedag i bob man a bob ochor iddo fo stricibeicyn lliwia'r machlud a saim y môr yn llifo i farasaim y tywod a thair myshrwm fel cychod wrth ymyl bŵi tomato. Brecwast machlud Dad. 'Dach chi isio'i fyta fo? A dyma fi'n rhoid y llun iddo fo. A mi roddodd o hannar coron i mi.

Ew! Ga i brynu helmet britishanjyrmans hefo camofflaj arni hi yn siop dois Anti Ffê dan Cloc Mawr yn Dre a wedyn mynd i gwffio i Viet Nam? Dy' Sadwn, ia?

"Ia."

Fawr o fachlud heno, Nhad. Mond fel hen graith goch, lidiog ar y gorwel. A tydy hi ddim i' weld yn mendio dim.

Oedd. Mi roedd hi eisoes yn droad y dail, sylwodd Elin o'i chwrcwd ar lan afon Cynfal. O'i chwmpas roedd dail meirwon hydref y llynedd yn madru o dan y rhedyn. Yn y pellter gwelai'r niwl yn plicio oddi ar y mynyddoedd. Fel croen yn hongian o gnawd, meddyliodd. A'r graig wrth ei hochor fel dolur. Fel archoll yn ddwfn-ddu. Du gwaed wedi ceulo. Nid prydferthwch mo natur, medda Elin wrthi'i hun. Ond tywyllwch a düwch ac ofn a bygythiadau a phydredd ac ofergoel a choel gwrach. Ar yr wyneb yn unig y mae natur yn dlws, deallodd. Fel colur. Rhywbeth i'w goncro felly yw natur, ebe hi yn nhrybestod cyffrous ei meddyliau, nid i'w lyfu a'i ddyrchafu a'i ganmol. Ac o'i goncro'i wareiddio. Ei ddwyn i le rheswm. Dyfynnodd o'i chof o'r llyfr a ddaeth oddi wrtho fo yr wythnos cynt: The philosophers have only interpreted the world, in various ways; the point is to change it. Cododd o'i meddyliau.

"Gwranda ar hyn," medda hi wrth Robin. "Ni ddaw dynion gyda thydi o'r bywyd yma, ond rhaid i ti fyned y daith honno dy hun; ac am hynny na chais fodloni dynion, ond edrych ar dy fod di drwy Grist yn gytûn ynot dy hun . . . Ti'n coelio petha fela? Ond mae'n well gin i hwn, yli: A spectre is haunting Europe – the spectre of communism . . ."

"Lle ti'n ca'l y petha 'ma?" medda Robin.

"Taw," medda hi. "All the powers of old Europe have entered into a holy alliance to exercise this spectre. Pope and Gzar, Matternich and Guizot, French Radicals and German police-spies . . . Lle dwi'n ca'l nhw? Gin ti. Posman w't ti, 'ndê? Ma'r byd yn newid. Ti'n 'i deimlo fo. Ma' 'na betha nad ydyn nhw yna eto yn stwrian yn y llonyddwch mawr. Tyd. At 'i dŷ o.

"Tŷ pwy?" medda Robin.

"Tŷ pwy?" medda Elin yn 'i ddynwared. "Tŷ Morgan Llwyd. Awdur y darn cynta 'na adroddish i i chdi. Y darn w't ti'n dal i gredu yno fo."

Nid nepell o Gynfal Fawr stopiodd y ddau'n sydyn. Yno o'u blaena nhw roedd yna dwmpath o lygod mawr wedi marw. Eu cyrff nhw'n sgleinio'n seimllyd, slwtshlyd. Eu llygid nhw fel . . .

"Cyrans," medda Robin, "Ych! Eu llgada nhw fel cyrans. 'Di dŵad o'r afon, mwn. Ma' raid fod 'na bla a'r ffarmwr 'di bod yn 'u pastynu nhw a'u pentyrru nhw'n fa'ma".

"Ma'n nhw 'di dŵad o rwla, ma' raid," medda Elin a'i llygid hi'n sbio ar y ddau Foelwyn a'i hedrychiad hi ymhell bell tu hwnt.

"Tyd o'ma," medda hi yn y man.
Yn chwyrn.

Dydd Mercher, 17 Medi 1997

Pryd ddaru chi sylweddoli, Nhad, fod petha'n mynd o chwith i chi? Eich bod chi'n mynd yn ddiarth i chi'ch hun. Wrth ddarllan llyfr, tybad? Yng nghanol brawddeg. Gair. Un gair. Yn gwrthod symud o'i le. Yn gwrthod bydjo fel byddach chi'n 'i ddeud am ffenast y gegin estalwm. Neith hon ddim bydjo. Y gair yn gwrthod bydjo o'ch tafod chi. Yn fudan yn 'ch ymennydd chi. Fedra o chi ddeud mo'i yn jyst ddim mo'i o. Ond o'r diwedd. O'r diwedd. Yr ildio. Y gair cyfarwydd yn llithro'n ôl i ystyr y frawddeg. Fel'na sylweddoloch chi gynta 'rioed fod petha'n dechra mynd o'i le yn "yr hen gorffyn", chwedl chitha. A mi rydach chi'n chwys oer drostoch. Twt lol, meddach chi wrtha chi'ch hun. Dydio ddim byd, siŵr. 'Di blino dwi. Hwyrach. Efallai. Ti'n iawn? medda Mam o bellter wrth 'ch ochor chi. Pam? meddach chi'n herfeiddiol. A 'dach chi'n trio eto ddeud y gair. A mae o yna ar eich tafod chi yn saff, yn ddiogel, yn felys fel – wrth gwrs! – "da-da". A 'dach chi 'di gwirioni gyn gymint nes 'ch bod chi'n deud yr holl enwa erill y gwyddoch chi am dda-da. Fferins. Losin. Minciag. Petha-da. Jou. Melysion. A hyd yn oed swîts. Y gair oedd gynna'n Glawdd Offa yn eich crebwyll chi. A thu ôl i'r Clawdd betha anghyfiaith fel "home" a "bitiweld o" a "TLC-sy-gynno-fo-isio-rŵan", a "sincio mae o". Styfnigrwydd un gair yn gwrthod bydjo i ola dydd y deud yn gychwyn petha. Yn y dechreuad yr oedd y gair.

Dydd Sul, 21 Medi 1997

Dwi isio i chi wbod, Nhad, 'mod i'n cofio.

Cofio pob dim.

Dydd Mawrth, 23 Medi 1997

Clywaf 'ch llais chi. Finna wedi dechra canlyn am y tro cynta. Chi a fi yn y gegin ar 'n penna'n hunain. Fi wrth y bwrdd yn gorffen swper. Ta sgwennu oeddwn i? Eich cefn chi ata i. A meddach chi:

"Watsia di'r hen fusnes secs 'ma rŵan."

'Na i, medda fi.

Dydd Sul, 27 Medi 1997

Mae cysgod y gair duw fel tasa fo dros 'y mywyd i i gyd. Yn glynyd yno'i fel caci-mwnci. Dwi'n troi rownd yn sydyn i drio'i ddal o. Ond does 'na neb yna. Mond sŵn y gwynt yn chwythu yn y briga noethion.

"Mae'r nos fel bod tu mewn i efail go'," medda Elin. "Ti'n mynd o'r gola dydd llachar dros riniog y drws cul ac i berfadd y twllwch mwyaf. Yna mae'r gwreichion yn dechra sboncian i bobman fel sêr."

Fel dyn wedi'i ddallu roedd Robin yn byseddu'i chorff fel petai o'n chwilio amdani yn y fagddu ac wrth wneud hynny yn dyfod o hyd iddyn nhw eu dau. Roedd o'n ei theimlo hi i ymwybyddiaeth.

"Dwi'n diolch i Dduw amdanat ti," medda Robin.

"Does yna ddim byd yn fan'cw yn y düwch rhwng sbarcs y sêr," medda hi. "Mond sŵn y gwynt yn chwythu yn y briga noethion."

A'r düwch fel petai o'n galluogi egluro eu cyrff yn y cydgyffwrdd. Er na fedren nhw weld ei gilydd yn iawn roedden nhw'n dyfod i'r fei. Gliriach nag erioed. Yno dirnadodd Robin beth allasai y gair "enaid" ei olygu. Roedd o tu hwnt rwsut heb symud cam o'i le. Gwelodd yn lleufer y fagddu fod marw yn bosibl nid fel diwedd a chwalu'n yfflon ond fel cyflawniad.

"Datoda fi," medda Elin gan ei dynnu'n ddwfn i ryfeddod goleuni'r düwch. A'r nos yn glustog. A theimlodd Robin ei chorff fel rhyferthwy afon rhwng glannau ei freichiau. Ei chnawd du, eirias.

Dydd Mercher, 1 Hydref 1997

Mae haul yr hydref yn aur i gyd. Y golau ganol pnawn sy'n euro pob dim. Y golau trist, oer. Y golau isel a'r cysgodion hirion. Aur ar ochrau'r mynyddoedd. Ar ymylon y criba. Yn gryndod ar ddeilen. Aur ydy lliw marwolaeth yn yr hydref. Ar wrthban gwely fy nhad y mae rhacsyn o olau aur.

Dydd Gwener, 3 Hydref 1997

Ar y traeth yn fan hyn yng Nghricieth. Sylweddolaf gyn gymint o ofn y môr sydd gen i bellach. Nid y môr yn Ninas Dinlla estalwm neu fôr y Foryd ar noson o haf yn llonydd fel gwynab plât gwyn cinio dy' Sul. A'r haul fel byblgym pinc o geg yr awyr yn byrstio'n rwtsh-ratsh o liwia ar groen y dŵr. Nid ofn môr plentyndod. Ond môr rhywun dros 'i ddeugain oed. Crombil y môr. Ei ben-draw-dyfn-o'r-golwg-o. Yr oerni. Y düwch sy'n dyfnhau i ddüwch mwy. Y dimbyd dyfrllyd. Y mudandod mawr, mawr, mawr. Dwi'n teimlo boddi yno' i.

Dydd Sul, 5 Hydref 1997

Traeth awyr fel cefn brithyll i'w weld drwy ffenast eich stafell chi. Dwi'n 'ch clŵad chi'n deud colecta'r gosber. Yn ddoe. Yn 'ch llais cryg. Eich llais chi'n cracio drwy'r geiria. Fel lein ddrwg teliffon. Goleua ein tywyllwch, ni a atolygwn i ti, O Arglwydd; a thrwy dy fawr drugaredd amddiffyn nyni rhag pob perygl ac enbydrwydd y nos hon; er serch ar dy un Mab, ein Hiachawdwr Iesu Grist. Amen. Dwinna'n sibrwd i wydr y ffenast a 'nghefn atoch chi. O! Arglwydd cynnal ni drwy gydol dydd ein bywyd blin hyd oni estynno'r cysgodion a dyfod yr hwyr, distewi o ddwndwr byd, tawelu o dwymyn bywyd, a gorffen ein gwaith. Yna, Arglwydd, yn dy drugaredd, dyro inni lety diogel, gorffwysfa sanctaidd, a thangnefedd yn y diwedd, trwy . . .

A ma'r gwydr wedi stemio i gyd. Tydw i'n gweld dim, bellach. Arglwydd! agor ein gwefusau, medda fi yn 'y nghof. Duw, brysia i'n cynorthwyo, medda rhywun yno' i. Arglwydd! prysura i'n cymorth, medda gorffennol tu mewn i mi. 'Dach chi'n cofio'n 'rysgol Sul, Nhad, chi yn holi enwa'r Sulia ar ôl yr Ystwyll.

Septuagesima, meddan ni i gyd.

Secsagesima, meddan ni wedyn a finna'n oedi ar y secs a Gwynbach yn chwerthin a Bobdrwsnesa'n deud hogynficar bihafia.

Cwincwagesima meddan ni.

Geiria mawr cry fel rhaffa o'dd yn medru halian duw i'r fei.

Geiria a brawddega fel llestri yn malu'n deilchion ar 'y nghlyw i. Fel sŵn ffydd yn malu'n deilchion ar 'y nghlyw i.

Wele'n sefyll yn yr hurtrwydd
Bellach.
Yn wynebu'r nos yn y gwynt.

Sy'n rhuo o nunlla i nunlla.
Drwy hen ffens fy sgerbwd i.
Ar y gweundir tu mewn i mi.
A'r agar ar y ffenast yn troi'n ffrydia dŵr. Fel crio.

Dydd Llun, 6 Hydref 1997

"Enw tlws," medda Elin.

"Pa enw?" medda Robin.

"Gavrilo Princip. Tlws, 'ndê? Mae enw unrhyw un sy'n lladd artshdiwc yn dlws cyn belled ag ydw i yn y cwestiwn. Hwda! Y Manchester Guardian *i chdi. Gavrilo Princip," medda hi drachefn.*

Dydd Gwener, 10 Hydref 1997

Mi fasach chi o'ch co' heddiw, Nhad. Dwy ddynas ar y bws yn sgwrsio.

"'N July dwi'n ca'l 'y mirthday," medda un.

"'N July dwinna'n ca'l 'y mirthday hefyd," medda'r llall.

Mi fasach chi wedi gwaredu'n basach. Yr hen snob iaith i chi. Chi oedd yn sgwrio pob brawddeg hefo'r gair cywir, cysáct, Cymraeg. Geiria sydd bellach fel ystlumod yn hongian yn fudan yng ngarat eich co' chi. A'r garat dan glo. Am byth. Dylia 'mod inna wedi gweld ynghynt, yn dylia. Eich sgwennu chi ar wynebddalen y llyfra Dolig a phen blwydd fyddach chi'n 'u rhoi i mi yn anrhegion. Mi roedd yr arwyddion yn fan'no. Pob cliw i'r llofrudd yn 'ch ymennydd chi. Y brawddegu igam-ogam ar y papur. Y sillafu anghywir. Coma yn lle atalnod llawn. Dyblu M. Nhad! Priflythyren yng nghanol gAir. Be haru chi, dwch? Eich sgwennu chi fel dwy hen ddynas ar draws ffens y frawddeg yn cario clecs amdanach chi. Yn adrodd hen storis hyll nad oedd petha ddim fel ag y dylen nhw fod.

Ond heddiw. Bellach. Mi rydach chi wedi gadal geiria hyd lawr anghofio fel y mae rhywun yn cicio'i slipars oddi am 'i draed cyn noswylio. SliPars geiriia.

Ond, Nhad, ddaru chi sylweddoli fod y ddwy ddynas ar y bws wedi treiglo "birthday"? Y Gymraeg yn llygru'r Saesneg, Nhad. Be nesa!

Dydd Sadwrn, 11 Hydref 1997

A'r dail yn melynu yng nghoed Cwm Bowydd fel hen bapur newydd ar waelod drôr. A MAFEKING RELIEVED mewn print bras. Un ddeilen lliw caci yn cael ei chipio gan chwa o awel o'r brigyn bidog. Yna'n pirwetio ar y llwybr. Yna'n sefyll yn syth-stond ym mreichiau cêl yr awel. Yna'n cael ei llusgo o'r golwg. A'r sioe drosodd. A'r dail eraill yn clapio'n orffwyll fel torf. Does 'na ddim rheswm yn perthyn i dorf, meddyliodd Elin. Fel torf oedd yn gorfoleddu fod rhyfel wedi torri allan.

Dydd Sul, 12 Hydref 1997

Taflu'n llais i'r mudandod gan feddwl fod 'na ryw ddymi yn siarad yn ôl hefo fi. Fel eco yn y mudandod.

Nes gwneud i mi feddwl fod rhywun yna.
Nes gwneud i mi feddwl fod rhywun yna.
Nes gwneud i mi feddwl fod rhywun yna.
Yna.
Yna.
Yna.

Dydd Llun, 13 Hydref 1997

"Elin, be sy'n digwydd i chdi pan w't ti'n dechra meddwl drostachdidyhun?" medda Robin.

"Dychryn," medda hi'n ôl. "A rhyddid," medda hi yn y man.

Dydd Iau, 16 Hydref 1997

Mi agorish i'r wardrob yn 'i stafell o. Yna roedd o. Yr hen gês glas hwnnw oedd ar hyd y blynyddoedd wedi cario'i wisgoedd offeiriadol o.

Dwi'n clŵad clic clo'r cês. Bodia 'nhad ar y botyma gloyw. Clic. A darna bach metal y clo yn saethu am i fyny. Ar ben 'n hun bach yn y gegin yn y lle o dan lle-hongian-cotia, mi fyddwn i'n agor y cês. A Dad a Mam yn gwylio *Emergency Ward 10*. Clic, medda un ochor i'r cês. Clic medda'r ochor arall. Y peth cynta welwn i oedd düwch 'i gasog o fel parddu. O dan honno y wenwisg. A'i sgarff bregethu o'n sgleinio'n ddu fel muchudd. Ei gês o'n llawn o betha du a gwyn fel y teledu yn parlwr. Ond ynghanol y du-a'r-gwyn mi fyddai'r lliwia eglwysig rhyfeddol. Lliwia fy mhlentyndod. Y stolau porffor a choch a gwyn a gwyrdd. Lliwia sy bellach wedi treiddio i rywle dwfn yno'i. Coch gwaed y merthyri. Coch tân y Sulgwyn. Porffor galar ac edifeirwch a'r rheiol. Gwyrdd tyfiant a phrifiant. Gwyn purdeb a byd arall a lliw duw. Gwyn y trosgynnol na eill neb na'i gyrraedd o na'i ddirnad o hyd byth bythoedd amen. Ar waelod y cês darna o bregetha a Llyfr Gweddi Gyffredin. Naci! "gyffredin" nid "cyffredin". Ac afrlladenna'r Cymun yn grwn wyn ar leinin blodamân y cês. Dwi'n dwyn un. Yn 'i dal hi yn 'n llaw am yn hir. Sbio ar amlinell Iesu Grist ar 'i Groes ar yr afrlladen wen. Tydw i ddim i fod i neud ond dwi'n 'i byta hi. Cnoi'r Ceidwad. Sglaffio a llyncu Iesu Grist. Dwi'n aros yn llonydd, llonydd, llonydd. Rhag ofn i rwbath ddigwydd i mi. Dwi'n clŵad miwsig *Z Cars*. Dwi'n dal yn gyfa. Dwi'n cau'r cês. Fel ar gyfrinach. Fel ar dduw. Mae'r cês yn wag heddiw. Lle bu duw. Lle bu offeiriadaeth. Yn y wardrob. Yn yr hôm. A gloywder dau fotwm y clo fel llygid llygadrwth yn syllu ar 'y nhad. A finna. Yr handlan fel ceg yn hannar gwenu. A'r defnydd glas yn plicio yma ac acw ar hyd y cês. Lliw glas fel glas llechen o chwaral Rocli. Y cês petryal glas llonydd fel llechfaen y medrir gwneud ohoni garrag fedd.

Dydd Sul, 19 Hydref 1997

Nhad! 'Dach chi fel fisitor yn 'ch meddylia chi'ch hun. Fel tasach chi 'rioed wedi bod yma o'r blaen. Yn disgyn i ddieithrwch o siarabang 'ch corff. A chardia post 'ch llygada chi'n wag a digyfeiriad.

Dwi'n sbio arnach chi.

Ffor' hyn, dwi'n 'i ddeud wrthach chi.

Ffor' hyn!

Dydd Mawrth, 21 Hydref 1997

Safodd Robin ar bont Cwîns. Safodd yn stond. Ei fag llythyrau'n mynd yn drymach, drymach, fel . . . fel be, tybed? meddyliodd. Roedd y dre fel petai hi wedi'i gwagio. I lle oedd pawb wedi mynd? Yn ei ŵydd edrychai'r tomennydd llechi fel helmedau. Lle welodd o helmed erioed? Uwch ei ben, cwmwl fel clwyf. Cwmwl fel cramen. Cwmwl fel gwaed wedi ceulo'n ddu. A Nyth y Gigfran fel torf o ddynion yn rhuthro i lawr amdano. Y tai, y rhestai, fel tameidiau o ddur yn ffrwydro i bobman. Cawod haearn. Mae ei geg o ar agor. Ei geg o fel O. Fel yr O sydd ar flaen baril gwn. A chornel llythyr yn ei law fel trigyr. Ond doedd o 'rioed wedi gweld gwn. Sut felly oedd o'n gwbod? A be oedd o'n ei wneud yn sefyll yn stond yn fan'no ar bont Cwîns a Stiniog wedi diflannu. A dim ond llanast o'i gwmpas a'r tu mewn iddo fo. Daeth yr haul yn ôl i'r fei. Wedi bod yn cuddiad y tu ôl i fasgiau'r cymylau oedd o, siŵr iawn. Yr hen ewach bach. Pî-pô. A daeth Stiniog yn ôl. Daeth Robin ato'i hun. A theimlai ei fag llythyrau mor ysgafn â chrys newydd ei smwddio a'i startsio.

"Crys glân i ti fynd i ffwr'."

"Ffwr'! Ffwr' i lle?"

"Ffwr',' ngwas i."

Dydd Iau, 23 Hydref 1997

'Dach chi'n cofio, Dad, yn Llandudno stalwmstalwm. Fi'n gweld y craen hwnnw yn ffenast y siop. Craen plastig coch a melyn a gwyrdd.

Ga i o? medda fi.

"Cer i ofyn faint ydy o," meddach chi'n gwellweirus.

A dyma fi'n bowndian i mewn i'r siop.

"Faint 'dy'r craen?" medda fi.

A ma' dynsiop yn gwenu.

"He's a little Welshboy," medda fo.

A mi nesh i'ch dal chi'n wincian ar y dynsiop. Pam ddaru chi neud i mi golli'n iaith wrth 'y ngyrru fi i mewn i'r siop 'na, Dad? Yn Landydno diwedd-fy-myd. A finna'n meddwl mai Cymraeg oedd y byd i gyd. Ond mi ddaru chi gyfieithu i mi.

"He wants to know how much the crane is."

"Fouransix," medda'r dyn yn gwenu. A 'ma chi'n cyfieithu'n ôl.

"Pedwar a chwech."

A thra oedd y dyn yn lapio'r craen mewn papur brown

dyma chi'n cydiad yn 'n llaw i. Eich llaw chi'n twtsiad yn 'n llaw i fel dau air yn cydiad yn 'i gilydd i gychwyn brawddeg. I greu iaith eto. Brawddeg Gymraeg. Bob gafal. A dwi'n gafal yn 'ch llaw chi heno. Do's 'na na Chymraeg na Saesneg yn mynd i fedru'ch cyrraedd chi heno. Cyfieithwch i mi eto.

Dydd Gwener, 24 Hydref 1997

"Dwi'n mynd i' rhyfal," medda Robin.

"Mae'r hydref yn y coed fel agor bocs o greons," medda Elin yn ôl. "Ti'n cofio yn 'rysgol Sul stalwmstalwm gwraig y Person yn dŵad â bocs o greons i ddangos i ni? Look! medda hi. Ti'n cofio? A 'ma hi'n agor caead y bocs yn ara ara bach. A 'na lle ro'ddan nhw. Y creons. Coch. Orenj. Coch gwahanol. Coch arall. Gwahanol fatha o felyn. Pob matha o wyrdd. Piws. Lliwia brown. Scarlet, violet and ultramarine, medda hi. Dwi'n deud wrthat ti fod yr hydref fel agor bocs o greons. Ti 'nghlŵad i? Ond y lliwia coch sy'n llywodraethu, yli. Mae'r hydref yn gwaedu i farwolaeth. Ti'n sylwi? Ti'n gweld?"

Ac roedd yr haul yn annisgwyl o gynnes. Haul claf yr hydref fel rhywun gwael wedi codi o'i wely i ffenast i sbecian.

"Gwranda," medda Robin, "mi fydd bob dim drosodd mewn chwinciad. Ma' pawb yn deud."

"Dyna be sy gin i 'i ofn," medda Elin, "y bydd pob dim drosodd mewn chwinciad. Y byddwn ni drosodd mewn chwinciad."

"Ond ma' pawb yn mynd," medda Robin.

"Pawb," medda Elin. "Pawb! Pawb fel cadwyn nionod. Pawb fel tatws laeth. Dysga wahaniaethu rhwng pawb a chdi."

Gafaelodd Robin ynddi a'i theimlo'n crynu i gyd.

"Ma' dy gnawd di mor beryg," medda fo.

Gwyrodd ei phen tuag ato. Sibrydodd i'w wyneb: "The

horror! The horror!"

Ymddihatrodd o'i afael.

"Be?" medda Robin yn llawn cynddaredd. "Be?"

"Sa ti ddim yn dallt," medda hi. "Ti'n dallt dim. Y tipyn posman. Do's 'na neb yn y lle cul, bach 'ma'n dallt dim."

A'i geiriau hi'n hisian rhwng ei dannedd hi fel dŵr yn berwi.

"Ti 'di mynd i refru byth a beunydd, Elin," medda Robin.

"Cer i dy ryfal dynion 'ta ac i ryfal dy dduw di sy 'run sbit ag un o'r dynion rheiny."

Cerddodd i ffwrdd. Gan adael Robin ar ei ben ei hun. Yng ngwaed y rhedyn.

Dydd Mercher, 29 Hydref 1997

A ma' ogla sigaréts yn llenwi 'nghof i. Ogla smôcs ar 'i ddillad o. Ar 'i wynt o. Ac yn y car a finna'n hŷn – lot hŷn – pan fydda fo 'di bod yn disgwl amdana i ar y Maes yn Dre. Disgwl y bysys fydda'n dŵad â fi'n ôl o'r lleoedd lle ro'n i 'di bod yn gneud be o'n i 'di bod yn neud. Sht! A'r car yn llawn o fwg. Mwg Kensitas ac Embassy. Regal a Players. Mwg be fyddwch chi'n 'i smocio rwbath duw.

Rîl y cof.

Dwi'n sleifio rownd y tŷ yn chwilio am stwmps. Y lle hongian cotia'n drwm ddiferyd o gotia duon 'nhad. Chwilota yn y pocedi bach cudd yn y cotia. Na! 'im byd ond llwch baco. Dwi'n un ar ddeg oed ac yn crefu am smôc. Wn i! Wardrob. Fyny â fi i llofft. Y wardrob brown llawn sglein fel seloffen pacad sigaréts. Brown fel baco. A graen y pren yn felyn frowngoch fel staen smôcs ar fysidd 'y nhad. Dwi isio bysidd fela. Peth fela ydy tyfu i fyny. Dau beth pwysig sti am dyfu fyny sti ydy smôcs a min ma' Bobdrwsnesa'n 'i ddeud. Drws y wardrob yn gwichian wrth 'i agor o. Na! sa neb yn llofft. Ma' pobman yn wag. Sŵn gwag drw'r llofftydd i gyd. Ogla lafant yn llenwi 'ngwynab i. Mam brynodd lafant ar 'n holides ni'n Blacpwl. Llond hen fasgedi bach plastigpiws. Basgedi siâp dagra. A'u hongian nhw yn y wardrob. Ogla da sti, medda Mam. Ogla iach ydy ogla lafant. Ogla ffenestri ar agor led y pen. Ogla dŵr oer, clir. Ogla llian allor. Ogla awyr las ddyfrllyd yn yr ha'. Ogla ben bora. Ogla dillad newydd 'u golchi. Ffwcio'r ogla yma, dwi'n 'i ddeud wrtha fi'n hun. Dwi isio ogla drwg peryg baco. Dwi'n mynd i mewn i'r wardrob. Fatha Doctor Who yn mynd i mewn i'r Tardis. I mewn rhwng y siwtia. A dwi'n cau drws. Ma' hi mor ddu yma â blaen sigarét wedi ca'l 'i phinsio i'w diffodd hi. Du fel marwolaeth. Yn sydyn dwi'n meddwl am ladd fy hun. Ond dwi'n rhoid y syniad o' meddwl. Smôcs. Stwmps. Dwi'n chwilio yn y pocedi bach yn leinin oer y siwtia. Ma' 'na rwbath llawn cynhyrfs – rwbath sy'n mynd trwydda chdi, chwadal Mam – mewn twtsiad leinin oer siwt dyn. 'Im byd! Llwch baco! Ceiniog! Bwtwm! Iesu! I . . . E . . . S . . . U . . . ! Stwmp a matsian. Dwi'n mynd i'r lafytyri. Agor y ffenast. Taro'r fatsian yn erbyn pren garw'r ffenast. Cynna'r smôc. Y fflam yn llosgi blaen 'y nhrwyn i. Ŵww. Mae'r lle'n troi fel top. Ma' 'mhen i'n drwm ysgafn. Dwi'n licio smocio. Dwi'n meddwl am secs. Rhyw ydy'r gair Cymraeg ia ond secs ydy'r profiad. (Siôn! bymio ti'n galw hyn?) Dwi'n rhedeg 'n llaw ar hyd croen 'y mol. Ond dim is heddiw. W't ti'n smocio'n fan'na? Iesu! Dad! Nac'dw, siŵr. Smocio sy'n gyfrifol fod fy nhad yn y gwely 'ma. Pwysa gwaed uchel. Y rhydwelïa yn caledu. Multi Infarct Dementia. Rhaid i chi roid gora i'r blydi smocio 'ma, Dad. O! ma'r hogyn 'ma'n harthu am rwbath byth a beunydd. Yn rhefru.

Cyt!

Dydd Sadwrn, 1 Tachwedd 1997

"Ma'r dyn 'ma'n byw ar sudd afal," medda fi wrth y metron. A chodi bocsiad o sudd afal i ddangos iddi hi. Ei godi fo i'r entrychion. Fel taswn i'n gry. Mae hi'n gwenu.

Dydd Sul, 2 Tachwedd 1997

"Gei di'n cofrestru ni," medda Elin.

"Mr and Mrs Williams," medda Robin wrth hogan y ddesg a'i lgada fo'n sbio ar adlewyrch ei wyneb yn sglein anhygoel derw'r cownter.

"Would that be Mr and Mrs Williams as in a married couple?" medda'r hogan a gwenu.

"Na!" medda Elin. "Mr and Mrs Williams fel mewn dweud celwydd. Mr Robert Edward Williams and Elin Owen."

"Room 12. Overlooking the sea," medda'r hogan gan roi winc ar Robin a rhoi'r goriad i Elin.

"Coffi?" medda Elin. "Gawn ni goffi yn 'n stafell, os gwelwch yn dda?"

"Cewch," medda'r hogan.

"Cymraes!" medda Elin.

"Weithia," medda'r hogan.

Rhoddodd Elin ei braich ym mraich Robin a cherddodd y ddau am y grisia.

"Cyn i ti ddeud dim," ebe Elin, "does 'na ddim te i'w ga'l mewn lle fel hyn. Mond coffi."

Y noson honno mi oedd y môr yn rhefru tu allan. Yn dwrdio ar y graean a'r cerrig.

"Be sy 'na?" medda Robin o'i gwsg. A'r gwynt yn cega yn erbyn y ffenestri.

"Be sy 'na?" medda fo.

"Sht!" medda Elin. "'Im byd. Sht! Mond ni'n dau 'di dengid am bedar awr ar higian i Landudno ben-draw'r-byd a neb yn gwbod."

A'i braich hi fel ymyl y môr ar draeth ei gnawd.

Mor feddal dyner ydy o, dywedodd Elin wrthi'i hun. Yn yr oriau bach. A'r storm wedi gostegu. Y gwynt bellach ond megis fel carwr yn chwythu'i anadl yn ysgafn ar wegil ei gariad. Dy gorff di fel ffliwt, medda Robin. A chwythu i lawr ei hasgwrn cefn hi. Yn gylchoedd ar hyd ei phen-ôl. A'i throi hi drosodd fel deilen yn yr awel. Agor fi, mae'i chorff yn ei ddeud. Mor feddal ydy o. Mi allasa'i groen o rigo mor hawdd â bagpapur wedi tampio. Llithrodd ei llaw rhwng ei goesau. Rhyfeddodd at feddalwch ei greadigrwydd. Yr holl nerth, yr holl rym yn fan yna mor feddal. Rhyfeddod sy'n dod i'r fei rhwng dau ydy noethni, dirnadodd. Teimlodd y gwynt yn codi eto. Yn cicio'r gwydr. Fel rhywun oedd yn barod i gymryd mantais. Plethodd ei chorff am gorff Robin. Llanwyd hi â'r ffasiwn ofn oherwydd y meddalwch. A'r gwynt yn hyrddio'i ysgwydd yn erbyn y ffenast. Yn hyrddio.

Cododd Elin yn fora. A Robin yn cysgu'n drwm. Er mwyn ca'l golwg ar y môr a'r traeth ar ôl y storm, meddyliodd.

Gwelodd. Gwymon fel pytiau o frawddegau hwnt ac yma ar hyd femrwn y tywod. Cerrig yn atalnodau llawn, yn gomas, yn semicolons, yn golons, yn farciau dyfynodau. A'r gwylanod uwchben yn eu dal eu hunain yn dynn yn erbyn y gwynt, yn sgrechian, sgrechian fel petaen nhw'n medru darllan llanast y tywod. Yn medru ynganu yr holl rwdlan. Yr holl ffaldiraldirô. Iaith fydd un o glwyfedigion cyntaf rhyfal, dirnadodd Elin.

Dringodd yn ôl o'r traeth i farjin syth y promenâd. Lle roedd y gwynt wedi sgwennu henlolwirion tameidiau o bren, darnau o fetal, papur, mwy o wymon, mwy o gerrig. "Aberth", fyddan nhw'n galw "ca'l dy ladd", medda hi. A phobol yn ca'l 'u rhigo'n rhacsjibiders yn ca'l 'i ddisgrifio fel "anrhydedd", deallodd. A buddianna'r breintiedig y ma' diawliad fel chi'n ddigon gwirion i farw drostyn nhw yn mynd o dan yr ymadrodd "duw brenin a gwlad", sylweddololodd. Roedd y gwynt llawn halen môr yn llosgi yn ei llygaid. Nes pery i'w llygaid ddyfrio. Yn union fel petai hi'n crio.

Ar y ffordd yn ôl i'r ystafell oedodd ar y coridor hir. Hoffodd feddalwch y carped. Mor llonydd oedd y gwesty. Mor ar ei phen ei hun yr oedd hi. A'r tu ôl i'r drysau trymion pobol yn gneud beth bynnag roeddan nhw'n ei wneud peth cynta'n bora fel hyn. Cysgu. Cribo'u gwalltia. Piso. Syllu i nunlla. Tu ôl i'r drysau cloëdig. Fel breuddwydion, meddyliodd. Agorodd ddrws 'i hystafell yn ddistaw bach. Yno roedd o. Wrth y ffenast. A'i gefn ati. Yn noethlymun. Fel targed, meddyliodd. Ac arhosodd yn fan'no yn sbio arno. Arhosodd ar y trothwy. Yn lle peryglus y trothwy.

"Mi ddo i'n ôl, sti," medda fo wrthi hi heb droi rownd.

"Wn i," medda hi.

Iaith ydy un o glwyfedigion cynta rhyfal, medda hi wrthi'i hun drachefn.

Dydd Llun, 3 Tachwedd 1997

Pa mor agos fuon ni, Nhad? Ogla sigaréts yn y car. Chitha'n llawar hŷn yr olwg nag ydach chi. Het ddu. Cot ddu. A'ch colargron chi fel clwyf yn 'ch gwddw chi. Fel gash.

Lle 'dan ni'n mynd, Dad? Ond o'n i'n gwbod yn iawn. I fyny i Rosgadfan. Tŷ Mus Ŵan, Bodaethwy. Tŷ Dora a John Gruffydd wedyn. Lle Hiwi Tomos, falla. A thŷ John, yn sicr.

"'Dach chi 'di dŵad â fo hefo chi, Mr Wilias?"

"Ti'n hogyn da heddiw?"

"Hogyn da w't ti, 'ndê?"

"Sgin ti wbath iddo fo?"

"Tisio cardia te, boi?"

"Gymith o fisgedan garibaldi?"

"Gymi di fisgedan garibaldi?"

"Can i sbîc inlish?"

"Witsia di i mi nôl hannar dwshin o wya ichdi."

'Run ŵy 'run seis. A wyddwn i ddim o'r blaen fod yna gyn gymint o wahanol fatha o liw brown i'w ca'l. Rhyfeddod brown! A chachu ieir ar y wya yn 'u gneud nhw'n wya go-iawn.

"Be ti'n ddeud?"

"Diochnfawr."

A'r bocs wya llwyd a'i gaead o 'im cweit yn cau'n iawn am fod yr wya mor fawr, yn ca'l 'i osod yn ofalus yn 'y nwylo i.

"Ydyo gin ti? Dal di o'n saff 'ŵan."

A'r bocs yn troi'n rhwbath sanctaidd rhwng y rhoi a'r gafal yn dynn dynn.

'Nhad a fi'n uchel uchel i fyny yn Rhosgadfan yn sbio i'r gwaelodion. Castall Dre yn fan'cw yn debyg i focswya. Pob man oddi tanon ni yn bell, bell i ffwr'. Dinas Dinlla. Foryd. Sir Fôn fel crempogan. A'r gorwel. A diwedd y byd. 'Nhad a finna'n dynn wrth 'n gilydd yn yr hen gar A35 llwyd GTU 873 yn drewi o smôcs. A bod wrth ochra'n gilydd yn ildio i fod yn agos. Am unwaith.

Dydd Mawrth, 4 Tachwedd 1997

Mi liciwn i fynd am dro hefo chi eto.

"Reit rownd", chwadal ninna. O'n tŷ ni, heibio Geufron; Morogoro; Plas; ysgol Felinwnda; fyny at Rhedynog; pasio Gwylfa; Parc; dros y Crossing; Glanrhyd ac adra'n ôl. Chi yn mynd â fi "i ti ga'l cryfhau" cyn dychwelyd i'r ysgol ar ôl bod yn sâl am bythefnos. Cerdded eto. Mynd am dro eto. Ni'n dau eto. A dychwelyd eto. Yn iach. Eto.

Dydd Iau, 6 Tachwedd 1997

A'r haul yn staen smocio-ar-fys yn lliw mwg yr awyr. Natur islaw fel jymblsêl 'reglws. Pentwr o hangyrs y coed noethion. Gwrychoedd fel llewys cardigans yn raflo. Caea'n hen grysa llucheutafl.

Gaea ydy hi, Nhad.

O'n cwmpas ni glywch chi sŵn isel miserere'r gwynt? Ac yn y pellter y môr requiem yn llonydd fel bwrdd gwag.

Dydd Sadwrn, 8 Tachwedd 1997

Nefi! Dad. 'Dach chi dan warchae yn y lle 'ma. Bytalions o focsys tishws, poteleidia o lwcosêd, bocseidia o fenyg rybyr, crîms mewn potia mawrion a photia bychan, weips ac antiseptics. Geriach salwch. Yn gatroda o'ch cwmpas chi. A labeli pob un ohonyn nhw'n susnag. Cwffiwch yn ôl, Dad. Lle mae'ch Cymraeg gwydn, cadarn chi? Yr eirfa oedd fel eurgyrn. Yr iaith eurdeyrn.

"Cup o' tea, love," medda un o wragedd y lle 'ma'n gwthio'i phen rownd y drws fel bratiaith. A'r glaw dwfnlwyd ar hytraws ar y gorwel fel picelli. Tu allan yn fan'cw ar y môr y mae yna storm yn codi. Poni welwch chwi hynt y gwynt a'r glaw, Nhad? A ma'ch llgada chi'n disgyn ar label pot. Sudocrem, medda'r llythrenna coch, powld. A chitha'n ddistaw fel y distawrwydd hwnnw ar ôl i rywun ddarllan cerdd.

Ar fy ffordd yn ôl adra gwelaf y nos yn tywallt drwy'r awyr fel inc-o-botel-wedi-ei-throi-drosodd-ar-ddamwain. A'r geiria Cymraeg yn diflannu un ar ôl y llall yn lli' diatal yr inc blw blac.

Dydd Sul, 9 Tachwedd 1997

Name, lad?

Williams, Robert Edward walad i chdi, *sir.*

Rank?

Private, sir watsia di'i cholli hi rŵan.

Battalion?

1st 7th Royal Welch ma'n llunia ni yn'i hi *Fusiliers, sir* wrth ochra'n gilydd.

Service number?

291192 wyddwn i ddim dy fod di'n medru bod mor sentimental, Elin, *sir.*

Age?

Twenty dos! *Five, sir.*

And where do you come from, lad? You come dos! *from that place* paid â throi rownd! *with the fucking unpronouncable name* dos! *don't you Bloody Hell Vest Stinki Bob is that how you say it?*

Yes, sir.

Charge, lad. CHARGE.

Dos!

Dydd Llun, 10 Tachwedd 1997

Dwi'n gafal ynoch chi. Ma' gafal ynoch chi fel gafal mewn ffrâm beic, 'di mynd. Ond nid coflaid mo hyn, Dad. Rhag i chi feddwl. Ystum reslo ydy o. Dwi 'di trio ar hyd 'n oes gwffio hefo chi. (Clywaf fy hun yn slamio drws y stydi arnoch chi. Tu ôl iddo fo – dwi'n gwbod yn iawn – 'dach chi'n fud, yn ddu yn 'ch siwt Person a'ch festoc sy'n dal 'ch colar gron chi sydd fel rhaff am 'ch gwddw chi. Be o'dd yn digwydd tu mewn i chi, dwch?) A dwi 'di gorod cwffio hefo fi'n hun yn lle hynny. Dwi'n gweld Oliver Reed ac Alan Bates yn *Women in Love* yn noethlymun o flaen tân angerddol yn cwffio. Croen ar groen. Cnawd llithrig. Yn llithro. Yn sglefrio. Yn gwasgu. Yn rowlio. Yn tylino. Yn creu pwrpas. Ar hyd 'i gilydd. Hefo'i gilydd. Nes bod cwffio fel caru. Bron iawn. Ydach chi'n 'n nheimlo fi'n 'ch gwthio chi i'r fatras, Nhad? Pnawn 'ma. Be ma'n nhw'n galw peth fel hyn? Fall. Dyna'r gair technegol mewn reslo. Three falls or one submission or a knockout. Chi a fi ar bnawn Sadwn yn sbio ar reslo ar y telifisiyn du a gwyn. Mick McManus. Hen fochyn budur 'dy hwnna. Johnny Two Rivers. Giant Haystacks. Big Daddy. Kendo Nagasaki. Tag contest. 'Y mraich i'n twtsiad 'ch braich chi wrth watsiad dynion erill yn codi'i gilydd, yn tagu'i gilydd, yn gwingo ar hyd cyrff 'i gilydd, yn gwasgu, yn gefeilio. Cnawd fel feis am gnawd arall. Double-leg-nelson. Head-lock. Body-slam. Leg-scissors. Fall. Yn gwaldio'i gilydd i agosatrwydd. Yn brifo er mwyn cyffwrdd 'i gilydd i'r byw. Teimlwch fi rŵan yn 'ch gwthio chi i ring y fatras. Fy mreichia i'n dynn dynn amdanach chi. Cwffiwch yn ôl. Yn ôl. Hitiwch fi. Bendith dduw i chi, cwffiwch yn ôl am unwaith. Am unwaith. Three falls or one submission or a knockout. Ildiwch. Ma' tad a mab i fod i reslo. Wyddach chi ddim o hynny? Ac i'r tad ar yr amsar iawn golli. Cwffiwch, Dad. Cwffiwch a chollwch.

Dydd Mawrth, 11 Tachwedd 1997

"Be ydy'ch bwriad chi?" medda'r metron. "Claddu 'ta cremesiyn?"

"Claddu," medda finna.

"Rhaid gofyn y petha 'ma," medda hi. "Rhaid chi ga'l dau ddoctor i seinio hefo cremesiyn."

"Dwi'n gwbod, medda finna."

Ash-cash ma'n nhw'n galw'r pres ma'n nhw'n 'i ga'l am neud, medda fi wrtha fi'n hun.

Dydd Mercher, 12 Tachwedd 1997

Un ar ddeg ydw i, tybad? Yn sleifio i mewn i 'reglws. Wedi dwyn y goriad heb ddeud wrth neb fel arfar. Y goriad trwm, oer.

Hei! Dwi'n gweiddi arnaf fi'n hun. Ond tydy'r hogyn bach un ar ddeg oed ddim yn medru clŵad y dyn sydd dros 'i ddeugain. Mae parwydydd y blynyddoedd yn mygu'r llais. Mae yna ormod o betha wedi digwydd.

Dwi'n troi'r goriad yn y clo. Mae o'n stiff ac yn anodd drybeilig i'w droi. Yna clic. Gafaelaf yn nolen y drws. Dolen gron haearn fel O. A ma'r drws yn styds haearn i gyd. Rhedaf 'y mysidd ar hyd y pisia haearn. Fel *braille*, dwi'n 'i ddeud wrtha fi'n hun a'n llygid i ar gau.

Hei! dwinna'n 'i weiddi. Ond tydy o ddim yn clŵad.

Mae 'reglws yn llonydd fyw. Fel rhywun yn disgwl. Ma' Duw yn fa'ma, dwi'n gwbod.

Sut w't ti'n gwbod? dwinna'n 'i weiddi.

Dwi'n mynd at yr allor. Ac yn penlinio o'i blaen hi gan bwyso yn 'i herbyn. Yr allor: hi? Ia, hi. Dwi'n rhedag 'y mysidd ar hyd y llian gwyn, pur, oer oer. Fel croen. Mor gain 'i wneuthuriad â phais ddiwnïad. Piws ydy'r lliw ar flaen yr allor.

Y Garawys ydy hi, medda finna.

Yr Adfent ydy hi. Oherwydd dwi'n teimlo'r Dolig yn 'y ngwythienna. Yn teimlo edrach ymlaen a fedra i ddim disgwl. Piws yr Adfent ydy hwn.

A ma' 'na rimyn o ola ar benna'r seti. A'r brasys yn sgleinio fel carpia'r haul ym machlud diynni'r gaea.

Dwi'n agor y Llyfr Gweddi a'i ogleuo fo. Ma' 'na ogla arbennig ar Lyfr Gweddi. Rhyw gymysgedd o ogla melys ac ogla tamp ac ogla 'di llwydo ac ogla blynyddoedd ac ogla geiria. A dwi'n sibrwd colect yr Adfent. Hollalluog Dduw, dyro i ni ras i ymwrthod â gweithredoedd y tywyllwch, ac i wisgo arfau y goleuni, yn awr yn amser y bywyd marwol hwn. Ac ma'n sibrwd i fel sŵn gwenoliaid yn cyrraedd eu nythod yn cwt ganol 'rha. Geiria fel adenydd hyd wacter yr eglws a Duw'n 'u dal nhw yn 'i ddulo hirion gwynion na fedar neb 'u gweld nhw fyth ond bo' chi'n gwbod 'u bod nhw yna.

Hei! Dwi'n 'i weiddi o'r drws. Ond tydw i ddim yn 'y nghlŵad i. Piws y Garawys ydy hwn, dwi'n 'i weiddi arno fo. Y Garawys sy'n llawndop o edifeirwch am flynyddoedd wedi eu taflyd i'r pedwar gwynt oherwydd diod, am golli duw, am fywyd sydd o dan yr wynab yn ddi-glem, yn ddu, ar chwâl yn prysur prysur fynd ar goll eto. Eto. Dwi'n biws drosta. Lliw galar. Lliw y petha rhacs. Lliw petha 'di malu. Piws. Ti'n 'y nghlŵad i?

A dwi'n mynd. 'N cloi'r drws. Ac wrth droi'r clo ma 'reglws

drwyddi yn gneud sŵn gwag. Bwm, medda hi fel cau Beibil yn glewtan. A dwi'n rhedag am adra nerth 'y ngharna. A rhoid y goriad yn ôl lle mae o'i fod heb i neb weld. A chyfri yn 'y mhen y dwrnodia tan Dolig. A'r tŷ'n llawn o ogla mins peis. Ogla cwcio. Ac ogla tanjarîns newydd 'u pario. A'u crwyn nhw'n dameidia orenj hyd y ffendar. Ew! medda Dad o'r tu ôl i mi, ma'r goriad 'ma'n gynnas. Dyna ti beth rhyfadd. A mae o'n sbio arna i. A finna'n sbio arno fynta. A 'dan ni'n siarad wrth ddeud dim.

Dwinna tu allan yn edrach arnyn nhw drwy ffenast y gegin. A 'nghnawd i mor oer â metal hen oriad yn hongian ar hoelan rydlyd yn y sbensh. Goriad nad ydy o'n agor dim byd mwyach. Ond yn sydyn dwi a 'nhad yn sbio tuag ata i. Sbio drwydda i. Fel taswn i ddim yna. Fel taswn i mond fel twll yn yr aer oer.

Dydd Gwener, 14 Tachwedd 1997

Plygodd Elin y llythyr a'i roi yn ei phoced. Dychwelodd i'w llyfr. Synfyfyriodd i'r print. Drwy'r print.

"Be ti'n 'i ddarllan?" medda'i mam wrthi'n betrusgar.

"Marx," medda Elin.

"Yr efengyl fyrra," meddai mam.

"Ia," medda Elin.

"Darllan i mi," medda'i mam. "Dwi'n licio clywad dy lais di. Ma' pawb 'di deud 'rioed fod gin ti lais prydferth."

"Why," medda Elin, "did the Paris proletariat not rise in revolt after December 2? The overthrow of the bourgeoisie had as yet been only decreed: the decree had not been carried out. Any serious insurrection of the proletariat would at once have put fresh life into the bourgeoisie, would have reconciled it with the army and ensured a second June defeat for the

workers. Yr ail bennod, y chweched adnod a'r seithfed."

Gwenodd Elin wên gwta ar ei mam. Na! Nid gwên, siŵr. Crychu'i cheg fwy tebyg. Cododd i fynd.

"Lle ti'n mynd?" meddai mam.

"Stryd," medda Elin.

"'Radag yma o'r nos?" meddai mam. Atebodd Elin â chlep ar y drws.

Eisteddai ar ben Garreg Defaid yn edrych i lawr i Goed Cwm Bowydd. Yn ei llaw, roedd y llythyr wedi'i sgrwnsio'n belan. Sibrydodd i'r düwch oedd yn ei thagu:

Annwyl Elin,

Nid ydym ni'n cael dweud llawer. Ond byddwn yn gadael eto yfory am rywle arall. Nid wyf yn gwybod os wyf yn teimlo fel soldiwr. Yr wyf yn edrych fel un. Mi fuasech yn rhyfeddu fy ngweld.

"Buasech," medda hi wrthi'i hun. Yn llawn dieithrwch. Yn llawn rhyfeddod y gair anghysbell, diarffordd yna. "Buasech," medda hi drachefn. A dechreuodd chwerthin. Chwerthin i'r fagddu. "Buaswn," medda hi dros bob man. Adroddodd yn ôl i'r düwch:

Elin, mae gennyf lawer o betha i'w dweud wrthych. Yr wyf wedi bod yn meddwl llawer amdanom. Un sâl am ysgrifennu wyf fi.

Am y tro.

Anfonaf fy nghofion gorau atoch,

Robin

Pwysodd Elin y llythyr yn dynn yn erbyn ei boch. Gwyddai fod ei dagra'n troi'r geiriau'n gleisiau bychain dulas ar groen y papur.

Uwch ei phen roedd y lleuad fel blaen cangen newydd ei llifio. Yn glaerwyn. A'r sêr yn faw lli'. Y tai a'r strydoedd oddi tanyn nhw yn y düwch fel shafins a naddion.

"Dychryn a rhyddid," medda hi.

"Ti 'di dŵad yn ôl?" gwaeddodd ei mam arni o'i gwely.

"Naddo," medda hi wrthi'i hun. "Dwi 'di mynd yn rhy bell."

Yn ei gwely agorodd ei llyfr a dechrau darllen:

Miss Brooke had that kind of beauty which seems to be thrown into relief by poor dress, a thynnwyd hi gan raff y geiriau i gwsg. Lle gwelodd ei hun yn siglo o ochr i ochr mewn carej trên a'r trên yn gwibio ar gyflymder mawr drwy ddüwch anhygoel. Yn ei breuddwyd roedd hi'n ymwybodol ei bod hi'n mynd drwy goedwig. Coedwig o'r fath faint, dirnadodd, fel nad oedd modd teimlo diwedd ystyrlon i'r goedwig honno. Daeth yn ymwybodol ei bod yn rhannu'r daith ag arch ym mhen pella'r cerbyd trên. Mond hi a'r arch a'r trên a'r goedwig a'r düwch.

Pan ddeffrôdd roedd hi'n olau dydd. Cododd o'i gwely ac estyn siwtces o ben y wardrob. Siwtces glas. Glas fel llechen Rocli. Agorodd y cês a syllu am hydion i berfeddion ei wacter. Clywodd rywun yn curo'r drws ffrynt.

Dydd Sadwrn, 15 Tachwedd 1997

Y tipyn gola ar y dŵr fel sglein pisyn chwecheiniog newydd sbon danlli yng nghanol newid mân. Yr awyr fel hen fandej. Caligraffi'r coed. Yr afon yn fan'cw fel llinyn gwyn yn datod oddi wrth 'i gilydd. Briga'r coed fel llofnod doctor ar bresgripsiwn yr awyr. Does yna neb i gynnig meddyginiaeth. Dim mendio. Dwi'n dechra gweld y gaea nid fel gwrthwyneb i'r ha', ond tymor yn 'i hawl 'i hun. Tymor prydferthwch yr ychydig. Fel drych gwag. Yma mae'r Gwacter. Eglurder ydy gaea.

Mi wela i'n iawn bellach be rydach chi'n 'i neud, Nhad. O'r diwedd dwi'n dallt. Fy ngwahodd i i fy meidroldeb yn 'i gyfoeth a'i dristwch yr ydach chi. I garu'r dros-dro. Chi. Sy'n troi'n rhodd. Chi.

Dydd Sul, 16 Tachwedd 1997

Agorodd y drws.

"Hwn i chi," medda'r posmon. Arall. Hŷn. Rhy hen i'r armi, hwn, meddyliodd Elin. A rhoddodd barsel iddi.

Aeth yn ôl i'r llofft a chau'r drws. Mae 'myd i'n mynd yn fwy o gyfrinach bob dydd, medda hi wrthi'i hun. Cyfrinach? holodd. Na. Mewnol, medda hi. Eisteddodd ar erchwyn y gwely ac agorodd y parsel. 'Ôl-rifynna o The Egoist. *A nodyn.*

Elin fach!

Mwy o waith darllen i chi! Meddwl y buasech yn ymddiddori yn y rhifynnau hyn. Yn enwedig y stori newydd sydd ynddynt.

Rhywsut mae patrymau geiriau yn medru lliniaru poen a düwch y dyddiau ofnadwy hyn.

Gobeithio fod Robin yn . . . O! ni wn i beth, Elin fach.

Ysgrifennwch pan gewch gyfle.

Yr wyf yn trysori eich llythyrau.

Fy nghofion atoch,

Thomas Evans

(Y cyn-gurad cynorthwyol)

Gwenodd Elin. Bob tro "y cyn-gurad cynorthwyol".

Agorodd un o'r rhifynnau ar hap. Darllenodd iddi'i hun:

Are you not weary of ardent ways,
Lure of the fallen seraphim?
Tell no more of enchanted days.
The verses passed from his mind to his lips and murmuring them over, he felt the rhythmic movement of a villanelle pass through them.

"Villanelle," medda hi'n ddwfn ynddi'i hun. Gair i'w fwynhau. Caeodd ei llygaid a dywedodd y gair eto. Villanelle. Aeth at y drws a'i gloi. Tynnodd ei dillad nos oddi amdani. Gwelodd ei noethni yn nrych y wardrob. Na! Nid noethni. Mae angen dau i ddarganfod noethni, cofiodd. Blingo. Wedi'i blingo oedd hi tro 'ma, dirnadodd. Arllwysodd ddŵr o'r jwg i'r ddysgl folchi. Chwipiodd ei bronnau â'r dŵr oer oer. Chwipiodd ei chefn â'r dŵr. Ei choesau. Ei phen-ôl. Ei hwyneb. Ei gwallt. Chwipiodd. Asperges, medda hi. Arglwydd! fel tasa gair yn medru'i hamddiffyn hi! A'r cês ar y gwely ar agor. Yn wag ac ar agor.

Dydd Llun, 17 Tachwedd 1997

Ar sgrin y cof.

Mae'r garat mor gynnes â ffendar. Dwi wrth 'y modd yn fa'ma. Lle i sbiana a sbecian a chuddiad a darganfod. A bod ar ben 'n hun. Dwi'n agor y ffenast-yn-to. Gwthio am i fyny y darn huar sy fel strap yn hongian o'r ffenast. A ma' hi'n agor. Fel ceg yn y to. Dwi'n gorod rhoid hen siwtces o dan y ffenast. Camu i ben hwnnw a rhoid ' mhen allan. 'N llaw i'n teimlo llechi to'r tŷ a ma'n nhw'n gynnas gynnas fel torth newydd 'i chrasu. Yn fan'cw'n bell o 'mlaen i ma' Dinas Dinlla a winsgrins y rheseidia o geir yn y la' môr yn wincian, wincian. Ma'r haul uwchben y môr fel llwyad fawr o fêl. Dwi'n sbio i lygad yr haul. Nes 'mod i'n ddall. Dwi'n neidio 'nôl i'r garat. Ma' pobman yn ddubitsh. Twllwch ydy goleuni, medda fi wrtha fi'n hun. Nes bod pob dim yn dechra dŵad yn ôl i 'ngolwg i. Y walia gwynion a'r gwyngalch yn plicio. Hen degana rydw i wedi tyfu allan ohonyn nhw. Twmpatha o ddillad o jymblsels 'reglws yn disgwl am y jymbl nesa. Dwi'n trio het ffelt biws. Dwi'n rhoid ffrog amdana. Dwi'n rhoid fy nyrna tu mewn i'r ffrog i greu brestia. Dwi'n gweld 'n hun yn nrych mawr y seidbord dda'th o dŷ Nain. Dynas ydw i. Hogla tamp ar y dillad. 'Ta hogla pobol 'di marw ydy o? Dwi'n gafal mewn staes ac yn teimlo tu mewn iddo fo. Ma'r gola'n disgyn fel tei o'r ffenast-yn-to ac yn cronni'n sgwâr ar y llawr pren. Fel postejstamp ar lythyr. Yn gornol ma' 'na focsys ar agor. Yn rhythu arna i'n gegrwth. Llawn o hen lyfra coleg Dad. A llyfra erill. *Boy's Own Annuals. Sea Stories for Boys. Cymru Coch. Yr Eurgrawn.* Am mai Wesla ydy Mam. *Stori Sam. Yr Haul a'r Gangell. The Mystery of the Eucharist. Parade* gesh i gin Bobdrwsnesa yn llawn o genod yn dangos 'u brestia a mond fi'n gwbod lle dwi 'di guddiad o. *The Idea of the Holy. Luned Bengoch. Telyn y Dydd. Storïau Ias a Chyffro. Knots for Boys.* Ma'r bocsys yn sgrechian llyfra. Yn fan'cw ma' Cymro. Hen gi 'di stwffio ac ar olwynion a gwlân cotwm hydo fo i gyd i' neud o'n debyg i oen ar gyfar drama'r Geni yn 'reglws. Yn y tanc dŵr mawr, plwm – y tancnefedd, chwadal Mam – mae'r dŵr yn hisian. Ym mhistyll y gola sy'n arllwys drw'r ffenast-yn-to mae'r tameidia llwch yn codi ac yn disgyn. Dwi'n 'u gwylio nhw. Fel eneidia ac angylion, fel esgobion a seintia, archangylion a gwyryfon yn dawnsio hyd yngorseddfa'r nefol rad. Ar ochor y wal ma' 'na hen stof calorgas. Dubitsh, a gwydra tena glas tywyll ar y drws. Dwi'n agor y drws ac yn rhoid 'n llaw i mewn. A chau'n llgada. A dwi'n gafal yn y twllwch. Lympia ohono fo. Ti 'di sbio i fyny sgert hogan 'rioed, dwi'n clŵad Bobdrwsnesa'n 'i ddeud, ma' be weli di'n ddu fel Bovril. Mi 'na i be 'na i bob tro yn fa'ma: canu'r gloch. Y gloch-ar-sbring a weiran yn rhedag o'r sbring ar hyd y wal ac yn diflannu i'r wal. Mi o'dd hi yno i ddeffro'r morynion pan o'dd 'na forynion yn ficrej. Ting-ling, medda hi. Yn gryndod ar y wal. Ting-ling-ling-ling. Be ti'n neud i fyny fan'na? Ma' 'nhad yn 'i weiddi o wulod grisia'r garat. Ond tydw i'n deud dim. Dim ond cuddiad tu mewn i'r distawrwydd. Mor llonydd â'r ddwy fas yn fan'cw dda'th o dŷ Nain. Tal, glas, llun dwy hogan mewn gwisgoedd llaes yn cario dŵr ar 'u penna mewn jaria ar bob un. A thu ôl iddyn nhw goed gwyrdd-ddu. A chlustia'r fasys yn aur a'r aur 'di dechra plicio. A thu ôl i'r fasys lun o'r wraig wrth ffynnon Jacob. Iesu! ma' Iesu Grist yn ddyn ffeind yr olwg dwi'n meddwl. Ac yn ddyn del. Ac wrth ymyl y llun fy hoff lyfr i. Y clawr yn lledar brown a phatryma aur hyd-ddo fo. Ac ymyl pob dalen yn aur. A'r dalenna'n stiff gan mor dew 'di'r papur. Y print yn solat. Llythrenna cynta pob pejan yn goch. A dwi'n darllan heb ddallt dim. Mond teimlo siâp y llythrenna yn 'y ngheg i. A'u dieithrwch nhw. A'u sŵn rhyfadd nhw. Creu teimlada ma' geiria, beth bynnag. Medda fi:

Lacrimosa dies illa
Qua resurget ex favilla
Judicandus homo reus

Huic ergo parce, Deus:
Pie Jesu Domine
Dona eis requiem.

Dwi'n cau'r llyfr. Y dalenna fel clunia gwynion yn cau ar ddirgelwch. Lladin ydy hwnnw, dwi'n clŵad 'y nhad yn 'i ddeud yn 'y ngho. A mae 'i sŵn o'n diflannu i lawr y grisia. Ar 'ch hyd yn 'ch gwely 'dach chi'n sbio arna i, Nhad. Beth sydd yn mynd ymlaen yn Lladin eich meddylia chi? Tamaid o haul yn taro ar wrthban eich gwely chi. Gosodaf fy llaw yng nghanol y pisyn haul. A'i deimlo fo mor gynnes ag oedd garat tŷ ni estalwm yn anterth yr haf.

Lacrimosa, medda fi wrtha fi'n hun.

A ma'ch holl gorff chi'n cyfieithu.

Dydd Mawrth, 18 Tachwedd 1997

Yn ei feddwl cyfansoddodd Robin ei lythyr.

Annwyl Elin,

Uwch fy mhen mae'r lleuad yn llawn. Ydy'r lleuad yn llawn yn Stiniog? Ydan ni'n gweld yr un un peth? Rhannu'i oerni, pell o. A'i dlysni. Chdi yn fan'cw. Finna yn fa'ma. Y lleuad rwsut yn 'n closio ni at 'n gilydd. Y lleuad fel drych mawr yn hongian ar barad y nos. A mi wela i dy wynab di yno fo. W't ti'n meddwl yr un peth yn Stiniog? Sbio ar ben dy hun i ddrych y lleuad a gweld, tybad, fy wynab i? Elin, dwi'n dy weld ti go-iawn bellach. Mi o' gin i dy ofn di tra o'n i'n dy garu'n angerddol. Y cwestiwn i mi oedd fyddwn i'n medru dy gadw di. Fedri di ddim aros yn llonydd. A mi o'n i'n gweld teithia yn dy lygid di o hyd ac o hyd. Ond tydy'r hen gwestiyna ddim yn codi bellach. Dwi'n dybrola o ofn. Wyddost ti sut beth ydy wynebu mashîn-gyns yn tanio o dy gwmpas di? Mwg. Sgrechian. Gweiddi. Tameidia o ddynion erill yn taro yn dy erbyn di. Sŵn griddfan isel. Lliw llwyd fel llymru y meirwon. Ogleuon cyrff yn madru. Mor frwnt ydan ni wrth natur. A withia ma' natur yn ca'l 'i agor i eithaf 'i fryntni. I ruddin 'i ddüwch. Fel petai amgylchiada rwsut yn dŵad at 'i gilydd ac yn gollwng yn rhydd holl ellyllon dyn. Y Lefiathan a'r Behemoth fyddan ni'n clŵad amdanyn nhw yn yr ysgol Sul. Ma' siŵr 'mod i 'di lladd rhywun, rhywrai, Elin, wrth saethu'n wirion bost i'r nunlla o 'mlaen i. Ond rwsut dwi'n dal i feddwl 'mod i wedi gneud y peth iawn yn dŵad yma. Ond mae yna betha wedi newid yno' i. Dwi wedi penderfynu nad a' i fyth i'r eglws eto. Paid â deud wrth Mam, chwaith. Dwi'n sbio i'r awyr a dwi'n gwbod nad oes 'na na neb na dim yno. Ar ôl hyn. 'Dan ni i gyd wedi'n gwagio. Safa ar dy draed dy hun. Bydd yn ddyn, dwi'n dy glŵad di'n ddeud. Nid trwy ryfela ond trwy syniada. Dysga i mi ddychryn a rhyddid meddwl drostachdidyhun. Pan ddo i'n ôl. Tydw i ddim yn dŵad yn ôl. Ond gan nad wyt ti fyth yn mynd i ga'l y llythyr yma mi ga i ddeud be fynno fi. Elin, mae'r lleuad bellach fel pendil cloc yn llonydd yn 'i unfan a dim amser ar ôl. Amser wedi darfod. Teimlaf fy mod i'n sefyll rhywle lle mae amser y tu ôl i mi. Ffordd arall o ddeud fy mod i wedi marw ydy hynny. Ia? Chdi, sy'n gwbod pob dim. Mi ddudish i fod gin i ofn methu dy gadw di. Ond nid cadw mae cariad, siŵr iawn. Gollwng 'i afa'l mae o. Dwi'n gollwng fy ngafal arnat ti. Cadw fi yn dy ddyfnder. Lle bynnag byddi di. Chdi na wela i mohoni fyth eto. Fyth.

Y cwbl o'r cariad sy gin i.

Robin

Postiodd Robin y llythyr i'w orffennol. O'i gwmpas roedd hi'n niwl dopyn.

Sut beth ydy marw, Nhad? Rydw i'n 'i ofyn i chi tu mewn i fi fy hun. Ydy o fel agor rhyw ddrws distaw sy'n ddyfn, ddyfn tu mewn i chi? Agor y drws, a chi – bob dim ydach chi ac a fuoch chi a phopeth sydd eto'n bosibl ynoch chi – yn llithro allan fel "dwi'n piciad i siop Pritchadbach am bacad ugian fydda i ddim chwinciad". A 'dach chi'n sleifio allan drwy'r drws distaw. A wedyn does 'na ddim chi. Mwyach. Peth fela ydy marw. Ia?

Dydd Mercher, 19 Tachwedd 1997

Rîl y cof.

Fi'n sbio ar ddrws y selar. Teimlaf y drafft yn dŵad o dan y drws. Codaf fy llaw i'w gosod ar y glicied. Rydw i'n gwthio 'mawd am i lawr ar dafod haearn y glicied. Ond tydw i ddim yn agor y drws. Mond dal yn ôl.

"Tisio sbio hefo fi?" medda Dad o'r tu ôl i mi.

Dwi'n neidio. Daw 'nhad â'i law – 'i law o sydd bob amser mor oer ac mor fawr – i lawr ar fy llaw i nes 'i chuddio'n llwyr. Mae o'n brifo 'mawd i wrth bwyso â'i fawd o ar 'y mawd i. Gwthiasom. Y drws i'w led agor. Mae'r oerni o'r selar fel gwlanan-molchi-ben-bora-cyn-mynd-i'r-ysgol yn hitio fy ngwynab i.

"Do's 'na ddim byd lawr fan'na, sti," medda Dad.

A ma' be wela i o'r grisia llechi a'r parwydydd gwyngalchog o boptu yn ca'l 'u llewcio gan y düwch oer oer.

"Tyd," ebe Dad.

A'i law o yn tynnu fy llaw i yn tynnu y glicied. Am flynyddoedd fe fuom ni'n byw ein bywyda yn y lle canol rhwng y selar a'r garat. Fi a 'nhad a Mam. Ni y drindod. Yn chwysu i'n gilydd. Hyd nes i mi un dwrnod agor y drws led y pen fy hun bach a mynd i lawr i'r twllwch. Fuo 'rioed i mi y ffasiwn siomiant. Doedd yna ddim byd. Lawr fan'na. Mond yr oerni fel cyllath. A'r gwacter distaw distaw. Dim smic. A fy llygid i'n graddol ddygymod â'r twllwch i ddatguddio dwy stafell hollol wag drws nesa i'w gilydd. Yn llawn dop o ddüwch fel crystyn torth wedi cipio. Fel dadrithio. Mi fydd yn rhaid i mi ddychmygu rhywbeth gwell na hyn, medda fi wrtha fi'n hun y pnawn hwnnw yr es i i lawr i selar tŷ ni. Ar ben 'n hun bach. A'r pnawn hwnnw mi dda'th 'na ran ohono i yn ôl i'r lle canol. Y lle canol chwyslyd, myglyd, uffernol o boeth.

"Ti 'di bod yn selar!" meddach chi wrtha i, Dad. "Sbia ar dy ddillad di'n galch i gyd." A 'ma chi'n dobio 'nghefn i.

"Tendia di rhag ofn i dy fam weld."

Dobio. Fel tasach chi'n trio ca'l gwarad o'r dystiolaeth 'mod i'n prifio.

"Ti'n gwbod be ydy dobio," medda Bob drwsnesa.

"Yndw," medda fi. "Hitio dy gefn di nes ma' houl calch yn mynd o'na."

"Paid â bod yn wirion," medda Bob. "Dobio ydy rhoid dy beth mewn merijên hogan ac ysgwyd dy gorff i gyd nes w't ti'n colli dy wynt yn lân a ma' hi'n ca'l babi a ma' pawb yn dwrdio a ma' dy dad yn jelys a ma' dy fam yn ca'l strôc farwol ac yn deud nafyddhibythynmedrucodiiphenynllemaeto."

"Esgob Dafydd, sgin ti fwy o eiria fela, Bob," medda fi.

"Oes! Min!" medda fo.

"Esu, be ydy min, Bob?"

"Be ti'n ga'l ar ymyl cyllath," medda Bob. "Ti'n rhy fach i betha fela," medda fo wedyn.

"Sgin ti 'im blew rownd dy bidlan eto."

Ond o'n i'n gwbod yn iawn ma' 'gwefus' oedd 'min' achos o' Dad 'di adrodd emyn i mi:

"Fy Nuw! Cusana fi â'th fin". Ond 'nes i'm deud dim wrth Bobdrwsnesa. Rhag i mi neud o deimlo'n fach.

Cofiaf hyn i gyd, Nhad. Pnawn 'ma. Wrth sbio i selerydd eich llygaid lled ar agor chi. A dwi'n rhoid fy llaw ar ben eich llaw chi. A gwasgu. Pidiwch â bod ofn, Dad, dwi'n 'i ddeud wrthach chi. Yn uchel.

Dydd Iau, 20 Tachwedd 1997

O'r môr. Môr y Canoldir oedd bob amser yn las golau golau ar y map yng nghefn y Beibil yn yr ysgol Sul! Y sleifiai'r niwl trwchus gan wingo hwnt ac yma fel eiddew llwyd. Yma. Wadi Ghazze. Gaza. Gasa. Gwlad yr Addewid. Lle Samson. Am bump o'r gloch y bore. Yn y niwl yn llonydd agos-at-ei-gilydd safai chwe milwr. Mor llonydd â daffodiliau mewn potyn ar lintel ffenast adeg Pasg. A'i gynnau parod yn codi o'u hochrau bron iawn mor ddiniwed yr olwg â dail y daffodiliau. Dail duon. Mae'r milwr sydd ar y blaen yn gneud arwydd â'i fys ar iddyn nhw symud yn eu blaenau. Mond sŵn caci'n siffrwd. Mond am chwinciad tinc tawel metal yn erbyn metal. Metal gwn neu fetal bidog neu fetal grenêd. Mond sŵn traed yn taro'r tywod. Mond fel sŵn llusgo. Mond cyrtans y niwl yn gwahanu am eiliad. Drwy ffenast y nos yn sbecian arno fe wêl Robin wynab dieithr. A theimlodd y cur yn ei ben.

Dydd Gwener, 21 Tachwedd 1997

Mae fan hyn yn debyg i'r Mignaint. Ar y Mignaint ydw i? Y gweundir anial. Y niwl llwyd yn hongian yn glytia. Y lôn fel craith. Y gola'n llegach. Yn gwanio. Diwedydd. Ar hyd y lôn y daeth o.

Deud rwbath 'dwi'n 'i weiddi i'r twll lle bu gwynab unwaith.

"Loos," medda fo.

Deud rwbath eto.

"Passchendaele."

Deud rwbath arall.

"Auschwitz. Buchenwald. Treblinka."

Deud fwy. Dwi'n sgrechian erbyn rŵan.

"Hiroshima."

Ac eto! Ac eto!

"Dw't ti ddim wedi clŵad digon, dŵad? Digon."

I lle'r ei di rŵan? dwi'n holi.

"I'r lle maen nhw'n 'i alw'n Nunlla."

Pwy ydyn nhw?

"Y meirwon ffyrnig."

Pwy ddudast ti oeddat ti? dwi'n 'i weiddi ar 'i ôl o'n giamllyd.

"Mi w't ti'n gwbod yn iawn! Yn iawn."

Deffrois.

Mewn breuddwyd yr oeddwn i wedi cyfarfod â duw. Yr hyn oedd yn weddill ohono fo.

Dydd Sadwrn, 22 Tachwedd 1997

A theimlodd y cur yn ei ben. Fel dadfeilio. Fel darnau ohono fo'n disgyn i rywle pell oddi tano fo. Mi oedd o yn ei fyd yn trio cydio yn y darnau i'w rhoi nhw'n ôl ynddo fo'i hun. Ond mi oedd 'na ormod ohono fo'n disgyn ar yr un un pryd ar unwaith. Mi roedd o'n disgyn trwyddo fo'i hun ar gyflymdra na wydda fo mo'i fath. Roedd o'n colli'r cyfarwydd. Roedd o'n methu enwi dim byd. Na chofio dim byd. A fo'i hun yn mynd yn llai ac yn llai ac yn llai ac yn llai. Doedd o fawr fwy na gwich wedi mynd. A'r golau ffyrnig oedd ynddo fo drwyddo fo yn debyg i'r düwch sydd O! mor ddu y tu ôl i dwllwch. A be oedd ar ôl ohono fo yn llithro, llithr, llith, lli. A'r golau a'r tywyllwch yn diffodd 'run pryd. A sŵn y disgyn yn peidio. A. A dim byd dim mwy dim oedd yna dim mwyach ond dim dim yno dim.

Dydd Sul, 23 Tachwedd 1997

Bu farw fy nhad y pnawn 'ma.

Yn hwyr, hwyr heno.

Fel

Ac. Brân ddu fel un llythyren unig ar goll ar ddalen wen yr awyr yn chwilio hwnt ac yma am ddiddosrwydd gair yng nghymuned brawddegau. Ond does dim dweud mwyach. Ond mudandod. A'r awyr yn wag.

Gwag. Gwag. Gwag.

Fel sŵn brân.

A dim byd dim mwy dim oedd yna dim mwyach ond dim dim yno dim.

Dydd Llun, 24 Tachwedd 1997

Fel *hyn* y buo hi ddoe, Nhad? O! ola gwyn. Yr holl oleuada. O'ch cwmpas chi. O'ch mewn chi. Mwclis y sêr. Fel rhoi procar yn hegar mewn marwydos. Ffrwydriad o sbarcs yn taro'r parddu. Na! Nid byd arall yn dŵad i'r fei ydy hyn ond chi yn diffodd. Y cynyrfiada olaf llawn goleuni. Gwaith trydan yr ymennydd yn sbarcio. Yn ffiwsio. Heulia'r methu. Cwasar y torri lawr. Tric olaf yr ymennydd. Yr holl oleuada. Y mil myrddiyna o liwia. Heolydd y goleuni yn patrymu fel map yn argoeli trefn a thuhwntrwydd. O! oleuni mwyn. Fel tân gwyllt yn dathlu diwedd dwrnod da. Yn troi'r nos yn ddydd. Na! Nid dechra'r newydd mo hyn. Nid croeso'r croesi. Ond y ffinale. Sbloet ola'r ymennydd. Y cau lawr. Un sbarc ar ôl ym mhellafion y düwch. Ei oleuni o'n chwyddo cyn peidio. Diffoddi. Wedyn y fagddu'n ymestyn. Wedyn y sŵn hisian mwya ofnadwy yn llenwi be oedd ar un tro'n ca'l 'i alw'n "chi". Y clyw ydy'r peth ola i fynd. Be? Wedyn y distewi. Wedyn y distawrwydd. Wedyn y mudandod. Wedyn y gwacter. Wedyn amhosibilrwydd unrhyw wedyn.

Dydd Mawrth, 25 Tachwedd 1997

Ymysg y beddau yr oedd Elin. Ym mynwent Llan. Yn y glaw. Deallodd gyn gymaint yr oedd hi'n casáu llechfaen. Gwyddai erioed na fedrwch chi wneud dim â llechi ond toi a cherrig beddau. Cau pethau i mewn bob tro. Hen garreg a'i natur hi'n gyfan gwbl ar yr wyneb ydy hi. Y glaw yn llithro a bownsio a glafoeri a llysnafeddu hyd-ddi. Fyth yn cyrraedd ei rhuddin hi. Ond does yna ddim rhuddin i lechan, medda hi. Ac yn yr ha' ar yr wyneb yn eirias ond y tu mewn yn oer fel y meirwon. Gwelodd Elin enwau'r meirwon rheiny wedi'u torri fymryn i mewn i'r bitsh o garreg. Y llythrennau fel creithiau. Poen a dioddef a marw yn llithro fel y glaw ar hyd ei gwyneb hi. Hi y garreg las ddi-hid, arwynebol. Edrychodd Elin o'i chwmpas a thrwy'r glaw oedd yn farrau o'i hamgylch hi. Cau petha i mewn, medda hi drachefn. Does 'na na iaith na llenyddiaeth yn fan hyn, medda hi wrthi'i hun, i fedru trin yr holl ddioddefaint. Y ffasiwn ladd. Mae'r ymdrechion mor wag â'r tu mewn i bulpud. Adroddodd yn ei meddwl linellau hurt bost o ryw gerdd yr oedd rhywun wedi'i sgwennu er cof am Robin.

Mae geirda cymydog, a hiraeth ardalwyr,
Yn dystion di-sigl i'w fywyd oedd lân –
Mae Gobaith yn wylo yn weddw'n yr heol
A thristwch sy'n eistedd ar orsedd ein cân.
Bu'r Gwanwyn ir-ddalen yn oedi'i ddyfodiad
A'r blodau fu'n ymgudd yn athrist yn hir,
Roedd Mai mewn sandalau o aur yn y fawnog
Cyn clywsom ni nodau y Gwcw'n y tir.

A Robin yn llun a cherddi o'i gwmpas o mewn ffrâm ddu ar y ddresal ym Mryn Twrog. Bellach.

Rhain, medda hi, y meirw parod. Parod i gydsynio â'i

dioddefiada. Parod i ddeud dyma ewyllys duw. Parod i gowtowio i bob awdurdod dan yr awyr (roedd Elin wedi hen roi heibio'r arferiad o ddefnyddio'r gair llanw 'nef'). Parod i wthio'r fidog dipyn bach yn ddyfnach i'w cnawd eu hunain. Ar Robin yr oedd y bai am 'i fod o wedi marw, dirnadodd. A rhoddodd lond ei chalon o gic i lechfaen bedd. Gwyddai tro 'ma ei bod hi wedi brifo'r garreg. A marc blaen ei hesgid ar y garreg fel "eschutcheon", medda hi. Teimlai yn hollol ar wahân i bawb a phopeth bellach. Roedd y dieithrio wedi digwydd yn grwn hollol tu mewn iddi. Fel y dieithrwch hwnnw welodd hi yn llygaid mam a thad Robin – ym murddunod eu llygaid – a nhwtha yn syllu i ddieithrwch Saesneg teligram. I ddieithrwch y geiriau "Killed in action".

"Ond lle'r ei di, Elin?" medda'i mam.

"O'ma," medda hi â byrder terfynol teligram.

Dydd Iau, 27 Tachwedd 1997

Claddu 'nhad fory.

Heno a fflam y gannwyll yn troi a throsi yn y drafft. Nes troi lliw caead yr arch yn lliw mêl. Dim gola arall yn y parlwr ond gola anfoddog y gannwyll. A'r cysgodion anferth. Bwystfil y piano yn cerdded y wal a'r nenfwd. Darn o adenydd pterodactyl y bwrdd yn hofran ar y pared. Crocbren cefn cadair yn dringo'r wal bella. Drychiolaetha ym majiclantan fflam y gannwyll. Fel estalwm. Finna'n ffwndro mewn twymyn. Gweld petha. "Na!" fydda 'nhad yn 'i ddeud. "'Do's 'na ddim byd yna, sti." A'i law o'n drom ar 'y nhalcen i. A 'mhyjamas i'n socian. A'r aer yn gymysgfa o ogla Vic a'r ogla smocio ar 'i fysidd o. Finna'n fa'ma heno hefo 'nhad. Heno yng ngola'r gannwyll yn cadw noswyl hefo fo. Fo. Yn 'i arch. Heno. A giamocs y cysgodion. A'r distawrwydd. Do's 'na ddim byd yna. A'r arch yng ngwingo ac yn nhroelli'r fflam fel petai hi'n llifo.

Dydd Gwener, 29 Tachwedd 1997

Yn y man derbyniodd Catherine Owen lythyr.

Paris
Ionawr 1af, 1919

Annwyl Mam,

Yr ydwyf ar fy ffordd i ddinas o'r enw Petrograd. Peidiwch â phoeni dim amdanaf. Yr wyf yn iawn.

Cofion annwyl,
Eich merch,
Elin.

Dydd Sul, 30 Tachwedd 1997

Nhad! Tydw i ddim wedi medru wylo dim ar 'ch ôl chi. Wnaiff dagra geiria y tro?

Yn hwyrach.

Weithiau. Yn ust! y meirwon. Weithiau. A'r dydd ar ddarfod ar ddwrnod o aeaf croywoer a rhuban o olau gloyw yn oedi ar ddŵr y Foryd. Weithiau. Wrth deimlo cnawd eirinfeddal fy ngwraig a'r golau wedi'i ddiffodd a ni'n dau yn noeth chwys ac ar agor i'n gilydd. Weithiau. Wrth ddarganfod y gair iawn. Weithiau. Yn y llonyddwch mewn hen eglwys lle mae paderau'r canrifoedd yn fy nghyrraedd tu mewn i rŵan crwn. Weithiau. Y daw. Yr Un y gwn nad yw yna. Yr Arall Swil. Sydd y tu hwnt, tu draw, tu mewn, tu allan, tu chwith. Weithiau. Ysgatfydd.

Dydd Llun, 1 Rhagfyr 1997

Teimlaf fel deifar sydd wedi bod lawr, lawr, lawr yn y dyfnder du. Yn ymbalfalu. Yn twtsiad petha na wn i'n iawn be ydyn nhw. Siapia yn chwara yn y pellter. A'r dŵr yn ddifrifol o oer. Ac yn mynd yn dduach ac yn dduach.

Ond rŵan fel corcyn yn ysgafn dwi'n symud am i fyny. Yn cyflymu. I ymyl gola. I'r gola. I fwy o oleuni. Nes rhigo drwy groen y dŵr. Ac anadlu. Sylwaf mai gwyrdd ydy lliw y dwfe. Dwfe dwi'n 'i ddeud. Miragl y dros dro. Rhyfeddod y byrhoedlog.

Rhywsut fe'm gweddnewidiwyd. Oddi tana i mae'r Gwacter yn galw o hyd. Bydded y Gwacter. A'i ddirgelion. Ond 'ta i ddim. Dwi'n clŵad llaisbach: "Dad!"

"Dwi'n fa'ma," medda finna'n ôl. Mi glywa i glep y letyrbocs a llythyra'n siffrwd i'r llawr.

"Posman, Dad." Teciall yn berwi. Ogla coffi. Tost yn llosgi. Celogs yn crensian.

"Bang-bang! Dad. 'Dach chi 'di marw." Ffôn yn canu.

"Helô, Gwilym. Yn 'i wely mae o. Geith o'ch ffonio chi'n ôl."

A thrwy'r ffenast mi wela i'r Cnicht fel llythyren A. A'r ddau Foelwyn fel M. A'r lleuad-fel-O wedi chwara triwant o'r nos i'r dydd. Wrth godi. Am chwinciad. Gwelaf fy noethni yn nrych y wardrob. Fy noethni gwahanol.

Nos Wener, 15 Medi 1999

A'r awyr heno yn y Foryd ar noson o haf hwyr fel 'tai hi wedi'i sgwrio i wynder tryloyw. Y môr yr un ffunud. Fel 'i bod hi'n anodd gwbod lle mae'r awyr yn gorffen a'r môr yn dechra. Ynof, trwof, o fy amgylch – am unwaith – dirnadaf heddwch mawr. Y môr a'r awyr o fy mlaen fel rhyw sgrin bictjws. Dwi'n disgwl i'r ffilm ddechra. Yr hanes. Y stori. Dwi'n disgwl gwynab i lenwi'r sgrin a deud rhwbath. Dwi'n gwrando am y geiria. Ond does yna ddim byd ond y gwynder dyfrllyd. Fel dechra. Fel diwedd. A'r hen gwestiyna. Y cwestiyna sy'n strach yno' i. Nid yn plagio tro 'ma ond yn dyner fel siffrwd felfad. Y mae'r gwynder fel y Gwacter yn cymryd iddo'i hun. Tu cefn i mi mae bedd fy nhad. A'r hyn deimla i heno ydy'i bresenoldeb absennol o. Mae'i fedd o'n wag.

Fawr o fachlud heno. Mond megis craith goch ar y gorwel. A ma' hi'n distaw ddiflannu.

Ar y dŵr mae alarch gwyn yn mynd heibio. Tu hwnt i mi. Ymhell o 'nghyrraedd i.

Uwchfymhen galargan cornchwiglen. Mae hi'n nosi. A phytia o ddüwch hyd yr awyr fel blacin ar esgid.

Mae'r llechen dwi'n ista arni yn oeri, oeri. Yr oerni yn sipian o'i chrombil hi gan ddiffodd y cynhesrwydd arwynebol.

Dwinna mor llonydd â . . . Fe fu bron i mi ddeud . . . Mor llonydd â bedd. Dwi mor llonydd â dalen wen, wag. A f'anadl i'n troi'n stêm o fy mlaen i. Fel ysbryd.

Boed trugaredd ar y byw a phopeth byw.

Boed trugaredd ar y meirwon oll.